Il a été tiré de cet ouvrage :

50 exemplaires sur papier de Chine, numérotés de 1 à 50 ;

125 exemplaires sur papier du Japon, numérotés de 51 à 175 ;

*300 exemplaires sur papier de Hollande, numérotés de 176
à 475 ;*

*1 150 exemplaires sur papier pur fil Lafuma, numérotés de 476
à 1 625.*

Il a été tiré en outre :

*30 exemplaires sur papiers divers, numérotés de I à XXX,
non mis dans le commerce.*

LE ROMAN DES GRANDES EXISTENCES

—— 15 ——

LA VIE

DE JEAN RACINE

FRANÇOIS MAURIAC

LA VIE
DE JEAN RACINE

PARIS
LIBRAIRIE PLON
LES PETITS-FILS DE PLON ET NOURRIT
IMPRIMEURS-ÉDITEURS — 8, RUE GARANCIÈRE, 6ᵉ

Tous droits réservés

VIE DE JEAN RACINE

*Vita hominum altos recessus
magnasque latebras habet.*

PLINE LE JEUNE.

Racine, à la fin de sa vie, ne pouvait
souffrir que son fils Jean-Baptiste parlât
légèrement des grands Anciens. L'écolier
s'étant oublié, un jour, jusqu'à traiter
Cicéron de poltron : « Je vous conseille,
lui écrivit-il, de ne jamais traiter inju-
rieusement un homme aussi digne d'être
respecté de tous les siècles. » Et il ne cessait de rappeler la parole de Quintilien :
« C'est avec modestie et circonspection
qu'il faut porter un jugement sur de tels
hommes. »

Nous eussions voulu n'oublier jamais
cette maxime, en écrivant la vie de Jean

1

Racine. Mais il n'a rien de ces génies
glacés en la compagnie desquels on n'est
guère exposé à perdre son sang-froid. Si,
comme beaucoup de ses contemporains
illustres, nous voyons d'abord qu'il est
un homme plein de passions, il vivait
dans un siècle où l'on parlait très peu de
soi et où les auteurs ne s'étaient pas encore
avisés que leur vie privée pût un jour
intéresser le public.

Enfin, pour notre malheur, il laissa deux
fils qui détruisirent pieusement tout ce
qui risquait d'altérer l'image édifiante de
leur père qu'ils souhaitaient de léguer aux
siècles futurs. Le mort à qui nous avons
fermé les yeux, et dont nous soutenons
d'un linge la mâchoire, après avoir joint
ses doigts sur un chapelet, ne ressemble
guère à l'être dévoré de désirs que nous
avons connu. Ainsi ce pieux ivrogne de
Louis Racine a-t-il traité la mémoire paternelle. D'où notre irritation, et parfois la témérité de cette enquête où il ne

faut voir que l'impatience de l'amour.

La plus grande charité envers les morts, c'est de ne pas les tuer une seconde fois en leur prêtant de sublimes attitudes. La plus grande charité, c'est de les rapprocher de nous, de leur faire perdre la pose.

Nous nous sommes gardé pourtant de donner à Jean Racine l'apparence de la vie, ainsi qu'à un personnage de roman. Si les hommes illustres, que c'est l'usage aujourd'hui de traiter comme des personnages romanesques, pouvaient être les témoins de leur résurrection, ils seraient confondus par l'image qu'ils nous ont laissée ; à peine se reconnaîtraient-ils dans le héros qu'on affuble de leur nom. L'auteur leur opposerait vainement une documentation scrupuleuse ; ils récuseraient jusqu'à leurs propres témoignages. Les lettres, les journaux intimes qu'un grand homme laisse derrière lui, souvent dupent son biographe. Même une lettre écrite sans arrière-pensée de publication posthume est

toujours à l'usage de celui à qui nous
l'adressons ; il s'agit non de l'éclairer, mais
de lui plaire, de lui fournir une image de
nous-même conforme à ce qu'il souhaite.
Le journal le plus secret est une composi-
tion littéraire, un arrangement, un men-
songe. Nous tirons de notre chaos une
créature harmonieuse et nous y complai-
sons. S'il existe un seul homme qui tienne
son journal pour son agrément particulier et non pour le siècle futur (et nous
doutons fort que cet homme existe) il lui
reste toujours quelqu'un à duper, et c'est
lui-même. L'amour qui a le plus marqué
dans sa vie est souvent le seul sur lequel
il garde le silence ; et ce qui l'expliquerait
tout entier, c'est justement cela qu'il dis-
simule.

Sans doute nos arrière-neveux, qui au-
ront à écrire la vie des hommes d'aujour-
d'hui, auront-ils plus de bonheur, puisque
la sincérité envers soi-même est, comme
chacun sait, la vertu de notre génération.

Mais ils n'en éprouveront peut-être que plus d'embarras : tout dire de soi équivaut à ne rien dire ; les biographes de l'an 2000 se débattront en vain contre des personnages épris de leur propre confusion. Nous doutons fort qu'ils réussissent à tirer un portrait à la fois fidèle et vivant de ces collections d'expériences contradictoires.

Mais la meilleure raison de ne point céder à cette mode des vies romanesques et qui aurait pu nous dispenser d'en dire aucune autre, est qu'il y faut un don particulier et que nous en sommes dépourvu. Un romancier accoutumé à donner la vie à des êtres qu'il appelle par leurs noms, perd tous ses moyens avec un héros qu'il n'a pas mis au monde, avec une créature qui n'est pas sienne et qu'il emprunte au Créateur. A moins de ne retenir que tels épisodes connus de cette vie, et de broder : ainsi avions-nous imaginé un soliloque de Racine, la nuit, dans la chambre royale où Sa Majesté l'obligeait de coucher parce

qu'elle avait des insomnies et qu'il était le
meilleur lecteur du royaume. Le poète,
attentif au ronflement auguste près de
s'interrompre, se fût souvenu de son enfance obscure, de Port-Royal, des circonstances qui l'avaient amené, au milieu du
chemin de la vie, à cette étrange veillée
près de l'alcôve pompeuse, parmi tant de
dorures et de courants d'air. C'eût été
une belle histoire, mais il y aurait fallu
de la fantaisie et un entraînement au sacrilège que le ciel ne nous a pas départi.

A propos des circonstances connues de
cette vie, il reste de se poser modeste-
ment des questions, sans prétendre à
éclaircir aucun mystère. Chaque destinée
est singulière, unique ; mais un auteur ne
se décide à écrire une biographie entre
mille autres, que parce qu'avec ce maître
choisi il se sent accordé : pour tenter l'approche d'un homme disparu depuis des
siècles, la route la meilleure passe par
nous-mêmes.

I

En 1649, un écolier de dix ans quitta
la férule de messire Renault, maître d'école
à la Ferté-Milon, et le chœur de l'église
Notre-Dame où il servait la messe, pour
gagner Beauvais dont le collège avait
quelque réputation. Il dut coucher en
route à Clermont, après avoir pris à
Crépy-en-Valois la direction de Montdidier. Ce petit garçon, Racine, était orphelin.
Treize mois après sa naissance, sa mère
Jeanne Sconin était morte en mettant au
monde une fille Marie. Son père, greffier
du grenier à sel de la Ferté-Milon et procureur au bailliage, remarié en 1642 avec
Madeleine Vol, mourut à son tour le 6 février 1643. La fille fut confiée aux Sconin,
et Jean à son grand-père Racine, contrô-

leur du grenier à sel, et à sa grand'mère Marie des Moulins.

La première pensée du biographe, qui veut avancer dans la connaissance d'un homme, est de chercher d'abord du côté de ses ascendants. L'individu le plus singulier n'est que le moment d'une race. Il faudrait pouvoir remonter le cours de ce fleuve aux sources innombrables, pour capter le secret de toutes les contradictions, de tous les remous d'un seul être. Mais cela dépasse notre pouvoir, ne s'agirait-il que de nous-même : qui ne s'est livré à des enquêtes sur sa famille, qui n'a lu ardemment de vieilles correspondances, dans l'espoir de découvrir, chez les morts, le mot de sa propre énigme? Espoir toujours trompé, et qui doit l'être davantage lorsque celui qui nous occupe est endormi depuis plus de deux siècles. Aussi ne donnerons-nous point dans l'artifice d'expliquer Racine par l'opposition, en lui, des Sconin violents, brutaux, de

race franque et peut-être scandinave, et des
dévots Racine, de race latine et cléri-
cale. Il ne faisait pas façon de dire qu'il
n'était pas d'une grande naissance, en dépit
des armes parlantes de sa famille où un
« vilain rat » grimpait sur un chevron.
Mais un cygne prophétique y figurait aussi.
Le bisaïeul de Racine les avait obtenues.
Le côté Sconin a plus de brillant : l'aïeul
Pierre fut procureur du roi des eaux et
forêts, et président du grenier à sel. Mais
le caractère des Sconin était redoutable et
Racine les dénonce tous comme de francs
rustres : « Otez le père qui en tient pourtant sa part. »

Il faut aussi nous épargner la peine de
retrouver, avec tous ses biographes, dans
le style de Racine et dans son génie, la
lumière modérée, la grâce, la mesure du
Valois : développement pour les manuels
et pour les dissertations françaises.

Ce qui compte, c'est l'atmosphère de la
maison Racine que tout enfant il a res-

pirée. Un esprit chrétien rigoureux y règle
les moindres gestes de la vie quotidienne.
Nous savons ce que c'est que de vivre,
dès ses premières années, dans une sorte
de terreur familière, en présence d'un Dieu
dont le regard épie jusqu'à nos songes.
D'une enfance toute tournée vers le ciel,
qui ne garde encore aujourd'hui, en même
temps que des souvenirs de délices, une
impression d'effroi? Le jansénisme qui
enlève tout à l'homme pour ne diminuer
en rien la puissance de l'Être infini, et qui
accoutume un jeune être à vivre dans le
tremblement, a laissé plus de trace qu'on
n'imagine, au fond de nos provinces. Aussi
doux que fût le cantique de notre première
Communion, il nous souvient que ses premiers mots renfermaient une menace :
Tabernacle redoutable...

Une année avant la naissance de Jean
Racine, la ville, et peut-être la maison où
l'on s'occupait chastement à lui donner
la vie, devinrent le refuge des jansénistes

pourchassés. M. de Saint-Cyran venait d'être emprisonné à Vincennes. Ces messieurs de Port-Royal se cachèrent à la Ferté-Milon : Lancelot s'établit dans la famille d'un de ses élèves, ce Nicolas Vitart, alors âgé de quatorze ans et que son cousin Jean Racine devait, un jour, beaucoup aimer ; MM. Antoine Le Maître et de Séricourt l'y rejoignirent. Fontaine raconte que ces pieuses gens édifiaient les habitants de la ville au point que ceux-ci, qui étaient sur leurs portes, se levaient par respect et faisaient grand silence pendant qu'ils passaient.

Ils quittèrent la Ferté peu de mois avant la naissance du poète. Mais dès que le petit Racine fut en âge de comprendre, il dut ouïr bien des anecdotes sur le séjour des saints persécutés : « MM. Le Maître et de Séricourt ne quittaient leur petite chambre que pour aller à la messe, les jours de fête, au prieuré Saint-Lazare. Dans l'été de 1639, ils sortirent quelquefois

après leur souper : ils allaient alors dans
le bois voisin et sur la montagne, où ils
s'entretenaient des choses du ciel. Vers
neuf heures, ils revenaient marchant l'un
derrière l'autre, et récitant leur chapelet. »
Déjà sa tante Agnès Racine, la jeune
sœur de son père, avait fait profession à
Port-Royal des Champs sous le nom de
mère Agnès de Sainte-Thècle. Son aïeule,
Marie des Moulins, à qui l'orphelin avait
été confié, et sœur de cette Mme Vitart
qui donna l'hospitalité aux solitaires fugi-
tifs, était si étroitement liée à Port-Royal
que, devenue veuve en 1649, elle y vint
habiter auprès de sa fille Sainte-Thècle.
Elle avait eu huit enfants (dont Agnès
et le père du poète) et méritait de finir
dans la paix de Dieu. Ce fut alors que
Jean Racine, écolier de dix ans, partit
pour le collège de Beauvais. Sa sœur Marie
demeura chez leur grand-père Sconin.

On ne sait rien de ce que fut sa vie à
Beauvais, sinon qu'il joua un jour à la

bataille, avec ses camarades, singeant la
guerre de la Fronde, et qu'il reçut, au-
dessus de l'œil gauche, un coup de pierre
dont il porta toujours la marque. Qu'il
ait été un admirable élève, on le sait par
cet exemplaire des *Géorgiques* découvert
à Clermont, et dont il a couvert de notes
érudites les marges.

Jean Racine avait déjà seize ans lorsqu'en 1655, il quitta Beauvais et rejoi-
gnit à Port-Royal son aïeule, Marie des
Moulins (humble femme que la mère Angélique traite de haut), et la Mère Agnès
de Sainte-Thècle, sa tante. Il allait (très
peu de temps) recevoir aux Granges les
leçons de M. Lancelot, l'helléniste ; celles
de Nicole, d'Antoine le Maître, et de
M. Hamon. Par le choix qu'un demi-
siècle plus tard, il fit de sa sépulture, aux
pieds du saint M. Hamon, Racine témoigna qu'il l'avait aimé mieux que tous
les autres. Ce médecin érudit était le plus

tendre des solitaires, aussi attentif à consoler les cœurs des persécutés qu'à soi-
gner leurs corps. Racine dut le préférer
pour sa tendresse et parce qu'il pres-
sentait que ce pur entre les purs était
tourmenté dans sa chair. Il aidait à mourir
les sœurs qu'une autorité terrible privait
des sacrements. Il composait à leur inten-
tion de petits traités pour les aider à
souffrir d'être séparées les unes des autres
et sevrées de l'Eucharistie. Il leur appre-
nait à ressusciter en elles les grâces de
leurs communions passées : « Qui nous
séparera de notre cœur? » leur écrivait-il.
Comment le sensible Racine ne se fût-il
attaché à ce saint si doux?

L'adolescent avait passé l'âge d'être
écolier. D'ailleurs, en mars 1656, l'école
des Granges fut fermée et les élèves dispersés. Jean ne demeure à Port-Royal que
parce que sa famille y réside ; et il n'y
a point lieu de l'imaginer asservi à une
règle conventuelle, aux levers nocturnes.

Ce jeune être s'éveille dans une solitude
à demi vidée de ses saints. Il entend,
derrière les murs, chanter les vierges invi-
sibles qu'il appelle des anges mortels. Mais
en même temps que son cœur s'ouvre aux
impressions d'une foi tendre et terrible,
la nature sauvage du fameux vallon s'ac-
corde avec la poésie des Grecs dont il
fait ses délices, pour éveiller en lui une
passion encore engourdie et dont la puissance lui demeure inconnue.

Que Jean Racine soit venu vivre à
Port-Royal des Champs à l'âge trouble
où l'enfant se fait homme, cela nous
invite à réfléchir sur ce drame dont une
tradition séculaire nous empêche d'avoir
conscience : l'attachement à une doctrine
qui enseigne la haine de la chair, le dégoût
du monde sensible, le goût des choses invi-
sibles, dans l'instant même où le désir
naissant cherche d'instinct son objet avec
une tenace exigence. Nous nous donnons
comme règle de ne jamais perdre de vue

la pensée de la mort et le néant de tout
ce qui n'est pas Dieu, à l'âge où la vie
entrevue nous apparaît d'une richesse
telle, qu'aussi vaste que soit notre désir,
nous ne désespérons pas de son assouvisse-
ment. A seize ans, le drame de la Semaine
Sainte réside, pour plusieurs, dans ce con-
traste du printemps adorable et de sa
langueur, avec la nécessité d'attacher leur
esprit au mystère d'un Dieu crucifié pour
nous. Alors que tout, en eux et hors d'eux,
s'efforce à rendre vaine la vertu de pureté, ils aspirent à cette perfection douloureuse. La rencontre du printemps avec
la mort du Sauveur, c'est le drame de
l'éducation religieuse, et c'est celui de
Jean Racine adolescent.

Ce drame, beaucoup de ceux qui ont
été élevés dans des sentiments chrétiens
ne l'ont pas connu C'est qu'en dépit des
apparences, le nombre est infime des enfants que cette doctrine pénètre ; l'eau du
ciel glisse sur leurs plumes de canards

sauvages. Rien ne leur en reste que des
formules, des gestes. Mais le petit nombre
des cœurs sensibles à Dieu sont presque
toujours les plus passionnés. Les plus
affamés se jettent aussi avec une excessive ardeur sur cette proie divine que la
religion leur propose et qui leur est offerte
avant aucune autre En même temps qu'ils
s'attachent de tout leur cœur à ce qui ne
passera pas, ils sentent profondément les
délices de ce qui passe : le sentiment de
l'éternel qui leur est familier ne les rend
que plus attentifs à ce qui est éphémère.
Ainsi l'enfant Racine, dans ce désert que
beaucoup de solitaires ont dû abandonner,
lit les *Psaumes*, *Théagène et Chariclée*, la
Bible, Sophocle, Euripide, les *Confessions*
de saint Augustin, Virgile, attentif à
l'appel de Dieu et à celui des dieux, Qu'il
devait être charmant ce « petit Racine »
(comme porte la suscription d'une épître
d'Antoine le Maître : « Pour le petit
Racine, à Port-Royal ») lui qui savait

2

attendrir jusqu'à ces hommes sévères :
« Aimez toujours votre papa comme il
vous aime... » lui écrivait Antoine le
Maître.

Les premiers vers de l'enfant-poète sont
à la gloire de ce Port-Royal qu'il appelle :
« Saintes demeures du silence. » S'il invoque
sa muse, c'est pour l'amour de Jésus :

> Muse, c'est à ce doux Sauveur,
> Que je dois consacrer mon cœur...
> . . . .
> C'est dans ce chaste paradis
> Que règne, en un trône de lis,
>   La virginité sainte ;
> C'est là que mille anges mortels,
>   D'une éternelle plainte,
> Gémissent au pied des autels.

Mais il se souvient de Sophocle et que
le soleil est l'œil du monde, et il nous
le montre donnant lui-même des armes
aux bois, contre « ses brûlantes beautés ».
Il écrit que dans l'étang de Port-Royal
la terre jointe avec le ciel fait « un chaos
délicieux ». Et déjà ce chaos est dans son

cœur. Il poursuit Flore dans les prairies,
s'attendrit des pleurs que l'Aurore a versés.
Le grec et le latin dont M Lancelot
souhaite que la science lui rende familière
la Sainte Écriture, lui deviennent une
source de poésie qui n'a d'autre fin qu'elle-
même. Il couvre ses livres de notes qui
trahissent sa fièvre : « *l'Amour est le plus
humain des dieux.* » On songe à ce cahier
de Bonaparte adolescent où il a écrit :
Sainte-Hélène, petite île.

S'il n'a pu apprendre par cœur l'énorme
Théagène et Chariclée, dont ses maîtres
voulaient lui défendre la lecture selon
Louis Racine, retenons de cette anecdote
qu'à Port-Royal déjà il ne se faisait pas
des « mauvais livres » une idée exagérée.
D'ailleurs, sur ce point, ces messieurs si
rigoristes montrent une inconséquence
étonnante ; et un jour, l'enfant méchant,
dressé contre ses pieux éducateurs, pourra
leur faire cette atroce raillerie (dans *la
lettre à l'auteur des imaginaires*) : « Et

vous autres, de quoi vous êtes-vous avisés
de mettre en français les comédies de Té-
rence? Fallait-il interrompre vos saintes
occupations pour devenir des traducteurs
de comédies? Encore si vous nous les
aviez données avec leurs grâces, le public vous serait obligé de la peine que
vous avez prise. Vous direz peut-être
que vous en avez retranché quelques
libertés; mais vous dites aussi que le
soin qu'on prend de couvrir les passions d'un voile d'honnêteté, ne sert
qu'à les rendre plus dangereuses. Ainsi
vous voilà vous-mêmes au rang des em-
poisonneurs. »

M. de Saci qui met les psaumes en
vers français ne trouve point ceux du
petit Racine fort bons. Mais le petit
Racine doute qu'il entende rien à ces
sortes de beautés. Il commence de n'en
plus pouvoir dans cette atmosphère de
pénitence, de sainte haine. Sa jeune fièvre
est près d'éclater.

Bien qu'en 1658 nous ne soyons plus
très éloignés du Racine traître à Port-
Royal, rien ne l'annonce encore. Si l'enfant solitaire, dans son désert, traduit
Diogène Laerce, Philon et Eusèbe, il com-
pose aussi une élégie latine *Ad Christum*,
et s'exerce à des poèmes d'après les
Hymnes du bréviaire romain dont il don-
nera, dans ses dernières années, une version admirable. Il envoie aussi à Antoine
Vitart des chroniques rimées où il décrit sans componction : « La honte et la
déconfiture des pauvres Augustiniens. »
Tous ces débats sur la grâce, ces pam-
phlets, et ces petites lettres, ces miracles
et ces martyrs assomment le jeune garçon
qui imagine d'autres plaisirs plus con-
formes à son âge et à son tempérament.
Il n'empêche que Louis Racine, en dépit
de ses supercheries, trahit moins la vérité
que ceux qui font du poète, à ce tournant
de sa vie, un fauve dont les griffes poussent, en proie à son instinct de puissance

et sur lequel la religion demeure sans prise. Dans ce jeune être déjà passionné, certes, chez cet auteur en herbe soucieux d'être connu et applaudi des hommes, et que commencent d'attirer l'amour, la gloire, tout ce que ses maîtres condamnent et méprisent, l'inquiétude chrétienne a pénétré ; elle s'est mêlée à son sang et il ne l'éliminera jamais.

Qu'il y ait eu du forcené dans Racine, nous le verrons ; et que ce grand poète n'ait pas toujours montré un grand caractère, ni ce grand amoureux un grand cœur, il faudra bien nous résoudre à ne pas le nier. Il n'empêche que l'expression de Pascal (que peut-être il eut le bonheur d'entrevoir aux Granges, en pleine fièvre des *Provinciales*), « l'usage délicieux et criminel du monde » prend pour Racine tout son sens. Dans ses plus folles années, une part de lui-même n'a jamais cessé de connaître que ces délices étaient coupables. L'excès même de son irritation

contre Port-Royal témoigne d'une inquiétude si puissante qu'elle saura mettre à
profit les premières défaites de la vie pour
tout envahir dans ce cœur ardent et
faible.

II

En octobre 1658, Jean Racine, âgé de dix-neuf ans, quitte (sans doute avec une profonde joie) Port-Royal pour le collège d'Harcourt où il fait son cours de logique. Entre Port-Royal et le monde, il n'est point d'abîme : des milieux intermédiaires les séparent, comme cet hôtel du très pieux duc de Luynes dont le cousin de Racine, Nicolas Vitart, est l'intendant. Les mœurs en sont encore presque monacales, mais l'air du dehors y pénètre. Le jeune homme y vit, surveillé par Nicolas qui demeure, après l'abbé Le Vasseur, son plus cher ami. Peut-être en eut-il d'autres : les amitiés qui ont surtout compté pour nous sont souvent les mêmes qui ne laissent aucune trace. Disons que Nicolas

Vitart et l'abbé Le Vasseur n'ont pas dé-
chiré les lettres qu'ils reçurent de Racine.

Voilà bien les deux types d'amis auxquels s'attache volontiers un adolescent.
Nicolas a quinze ans de plus que son
jeune parent ; il est fort avancé dans le
monde, très prisé chez les Luynes, et
d'une dévotion modérée qui lui attire de
la considération, sans nuire à son avancement. Le petit Racine trouve auprès de
lui des conseils, il en apprend tout ce dont
ces messieurs de Port-Royal avaient né-
gligé de l'avertir ; il cède à cet instinct qui
porte les très jeunes gens à rechercher
l'amitié d'hommes en passe de réussir et
à nager dans leur sillage. Pourtant ne faisons pas notre poète plus intéressé qu'il ne
fut en amitié ; car il s'éprit fort, cette année-
là, d'un garçon qui comptait dix-huit années
de plus que lui et de qui il n'avait rien
de plus à attendre que les agréments de
son commerce : Jean de la Fontaine, dont
la femme lui était un peu parente, s'éva-

dait souvent de Château-Thierry et venait
loger chez un oncle, non loin de l'hôtel de
Luynes où était Racine. Il entraînait son
jeune ami au cabaret avec un certain
Pointrel, de la Ferté-Milon, et Antoine
Poignant

Dans l'abbé Le Vasseur, à peine son
aîné, Jean Racine trouve non plus un
guide, mais sans doute un confident et
un complice. Ce « petit collet » ne s'occupait guère que de rimer et que d'aimer.
Qu'attendre d'un ami, à vingt ans, sinon
une oreille complaisante à nos histoires
de cœur et à nos manuscrits? A nos manuscrits surtout; et il est piquant de voir ce
tendre Racine inquiet de la maladie qui
tient l'abbé Le Vasseur, pour cela seulement qu'elle le dispose mal à bien lire
la Nymphe de la Seine : « Je crains furieusement le chagrin où vous met votre
maladie et qui vous rendrait peut-être
assez difficile pour ne rien trouver de bon
dans mon ode. »

La Nymphe de la Seine, composée pour
le mariage du roi et imprimée en 1660,
enchante Perrault et l'illustre Chapelain
à qui Vitart l'avait apportée : « L'ode
est fort belle, fort poétique, décréta M. Chapelain, et il y a beaucoup de stances qui
ne se peuvent mieux. Si l'on repasse ce
peu d'endroits marqués, on en fera une
fort belle pièce. »

Cependant Racine achève une tragédie,
l'Amasie, à quoi s'intéresse une comédienne
du Marais, Mlle Roste, et qui faillit être
représentée. Une autre actrice, Mlle de
Beauchâteau, propose à l'hôtel de Bourgogne *les Amours d'Ovide*. Nous voudrions
que ce fût pour les beaux yeux de Racine ;
mais il écrit à l'abbé Le Vasseur au sujet
de Mlle Roste : « Ce sera vous seul qui
l'en pourrez bien remercier, comme c'est
pour vous seul qu'elle a tout fait. » Et que
le petit Racine commence à se déranger,
c'est ce qu'on peut conclure d'une lettre
datée de Chevreuse où il surveillait les

ouvriers du duc de Luynes : « J'ai des
divertissements plus solides (que le cabaret) quoiqu'il paraisse moins... » Les
mots suivants sont effacés : « Si vous
voulez savoir mes... » Mais sans doute ne
confie-t-il à son abbé que ce qui ne compte
guère : « Je lis *les Aventures d'Arioste*,
et je ne suis pas moi-même sans aventures.
Une dame me prit hier pour un sergent.
Je voudrais qu'elle fût aussi belle que
Doralice. » Ailleurs, il loue Le Vasseur
d'adorer « une belle mignonne de quatorze ans ». C'est assez dire qu'il ne se
fait plus des passions la même idée que
ses maîtres et qu'il traite en badinage
ce que ces messieurs jugent effroyable.
Il y a un endroit comique où il raconte
l'impression qu'une des lettres de l'abbé Le
Vasseur, qu'on lisait à haute voix, a faite
sur la femme de Nicolas Vitart, à la barbe
de son mari ; et l'on voit bien que le petit
Racine trouve fort plaisant que de ses deux
plus chers amis, l'un fasse l'autre cocu.

Dans son cœur, le divorce avec Port-Royal est déjà consommé. Eliacin tourne mal et Joad le gronde. Il n'a pas attendu pour le gronder que l'enfant ait commis de grands crimes : il a suffi d'un malheureux sonnet en l'honneur de Mazarin pour lui mettre la tante Sainte-Thècle et tous ces messieurs aux chausses. Il confie à Le Vasseur : « J'étais près de consulter (sur mon Ode) une vieille servante qui est chez nous, pour assurer mon jugement, si je ne m'étais aperçu qu'elle est janséniste comme son maître (le duc de Luynes) et qu'elle pourrait me déceler : ce qui serait ma ruine entière, vu que je reçois encore tous les jours lettres sur lettres, ou pour mieux dire excommunications sur excommunications, à cause de mon triste sonnet. »

C'est ici que les détracteurs de Racine le guettent. Tous ceux qui, en réaction contre la légende du Racine doux et tendre, imaginent à propos de lui un félin

féroce, ont tiré le plus possible de son
insolence et de son ingratitude à l'égard
de Port-Royal. Et il est très vrai qu'ils
ne pouvaient trouver, pour leur attaque,
un meilleur terrain. Quand M. Masson-
Forestier, d'une lettre où Racine querelle
légèrement sa jeune sœur, demeurée chez
les Sconin à la Ferté-Milon, tire mille
preuves d'une méchanceté et d'une la-
drerie singulières, il nous paraît injuste
presque autant qu'il est ridicule lorsque,
plus tard, il établit le cynisme et le sadisme
du poète sur l'audace qu'il aurait eue, au
lendemain de ses noces, d'installer sa
jeune femme dans l'hôtel où avait vécu
la Champmeslé, sa maîtresse. M. André
Hallays sut établir, depuis, que Racine
n'avait jamais habité cette maison ; et
toute l'argumentation de M. Masson-Fo-
restier en fut détruite du coup. Mais, pour
ce qui touche à Port-Royal, nous ne pouvons d'abord nous défendre de juger Racine sans indulgence.

Le 8 mai 1661, pour prévenir un ordre
de la Cour qui l'exilait en Bretagne,
M. Singlin, celui qui fut directeur de Pascal, s'était retiré faubourg Saint-Marceau,
dans une maison de Mme Vitart, la mère
de Nicolas et la grand'tante de Racine.
Le jeune homme en mande la nouvelle à
Le Vasseur sur un ton pénible d'imperti-
nence : « Il n'est plus dessus le trône de
saint Augustin, et il a évité, par une sage
retraite, le déplaisir de recevoir une lettre
de cachet par laquelle on l'envoyait à
Quimper. Le siège n'a pas été vacant bien
longtemps... Tout le consistoire a fait
schisme à la création de ce nouveau pape,
et ils se sont retirés de côté et d'autre,
ne laissant pas de se gouverner toujours
par les monitoires de M. Singlin, qui n'est
plus considéré que comme un antipape.
*Percutiam pastorem, et dispergentur oves
gregis.* » Ceci n'est rien, sans doute, au
prix des injures que nous lirons plus tard
dans *la lettre à l'auteur des hérésies ima-*

ginaires. Mais comment souffrir d'un cœur
léger qu'il parle avec moquerie de ses
bienfaiteurs persécutés?

Considérons pourtant l'âge de notre
auteur, qui est celui où **nous** sentons le
moins vivement notre cruauté. L'année
même où les religieux qui nous élevèrent
furent dispersés et exilés, les « grands »
eurent l'inconscience de faire imprimer
une sorte de revue satirique où nos maîtres
étaient assez lourdement moqués. La plupart d'entre nous n'étaient pourtant pas
de mauvais enfants, et ne sentirent pas
d'abord l'odieux de cette publication. Il
n'empêche que Racine, en 1661, n'est
plus un petit garçon : il a vingt-deux ans.
Mais ne lui trouverons-nous point quelque
excuse? Le voici tout bouillant de génie ;
un monde s'agite en lui ; il est comme
chargé de sa création future. Déjà l'a
touché le premier rayon de la gloire. Et
voici que pour un pauvre sonnet ils sont
tous à le retenir par les basques, au seuil

d'une destinée dont il entrevoit peut-être
la grandeur, et sûrement les profits. Et
au nom de qui? au nom d'un Dieu qui
n'est pas celui des honnêtes gens avec
lesquels il a commerce, ni même celui de
l'Église universelle. Certes Pascal a raison
de dénoncer ceux qui veulent faire les
braves contre Dieu ; mais un jeune être
empli d'audace et d'insouciance, ne sera-
t-il pas tenté justement de faire le brave
contre l'Être impitoyable auquel les jansénistes tremblants prétendent, à leur
exemple, l'asservir? S'il était vrai, comme
ces hérétiques l'enseignent, qu'on ne comprend rien au christianisme quand on ne
voit pas que Dieu a voulu sauver les uns
et aveugler les autres, et quand on refuse
d'admettre qu'il y a assez d'obscurité dans
les Écritures pour que les prédestinés à la
damnation n'y voient goutte, mais assez
de clarté pour qu'ils demeurent sans
excuse de n'y avoir rien vu, il resterait à
un garçon plein de génie et plein de sang,

sinon de faire le brave contre l'Être infini,
du moins de céder au penchant de ne plus
penser à Lui, de remettre à plus tard l'affaire du salut, et de mener son jeu sans
plus s'encombrer de chimères. Ainsi fait
Jean Racine : désespéré par l'hérésie janséniste, il décide enfin de ne plus perdre
le peu de temps qui lui est accordé pour
être aimé et glorieux, à ratiociner sur
des mystères dont la Foi nous enseigne
qu'ils sont impénétrables à la raison, et
dont l'étude attire contre ceux qui s'y
livrent les anathèmes de l'Église et les
rigueurs du Roi très chrétien.

Jean Racine aurait pu entrer dans de
tels sentiments sans jamais s'interrompre
de témoigner aux saintes gens de Port-
Royal la déférence qui leur était due. Il
l'eût fait, sans doute, s'il avait été aussi
dégagé de leur influence qu'il affectait de
l'être. Nous ne nous sentons d'aigreur que
contre les maîtres qui nous tiennent encore.
Il est vraisemblable qu'à vingt-deux ans,

Racine, s'il souffre d'être dépendant à
l'égard de Port-Royal, c'est d'abord pour
ce qui touche à son avenir temporel. Mais
n'eût-il pas été conscient d'une emprise
spirituelle, elle n'en existe pas moins. Il a
beau se débattre, le Dieu de Saint-Cyran
le tient plus fortement qu'il n'imagine.
Port-Royal laisse aller le fil et le jeune
fou feint d'être libre ; mais quinze ans
seront à peine écoulés, que cette belle
proie sera tirée lentement hors de l'eau
jusque sur la berge, et ne se débattra
plus.

Racine, en 1661, ménage encore ces
messieurs et ne les traite mal que dans le
privé : c'est qu'il pense à sa fortune. Il
a de l'ambition, de la conduite ; il ne perd
jamais le souci de bien asseoir sa vie ;
en quoi il ressemble à la plupart des
hommes, et c'est une grande hypocrisie
que de se voiler la face comme ont fait
quelques-uns de ses biographes. Le jeune
Racine songe à son avancement, ainsi que

tous les garçons de son âge. Il est fort
désireux de se pousser dans le monde et
ne néglige aucun de ceux qui le peuvent
servir. Cela est de tous les temps, mais
nous paraît excusable surtout dans la
société la plus hiérarchisée qui fut jamais,
où les plus orgueilleux ne pouvaient se
passer de protecteurs, et où il n'apparte-
nait à personne, sauf au Roi, de se dire
indépendant. C'était alors une grande
entreprise, pour un jeune homme, que de
s'élever au-dessus de l'échelon où l'avait
placé sa naissance. Le mérite comptait
pour peu, si d'abord l'on ne possédait l'art
de plaire. Racine souple, flatteur, gentil,
est à l'image de son siècle.

A vingt-deux ans, encore tout empêtré
dans Port-Royal, il n'imaginait pas qu'il
pût rien espérer en dehors de lui, c'est-à-
dire de sa famille. Ainsi se résigna-t-il à
prendre la route d'Uzès. Cette note, re-
trouvée dans les papiers de son fils aîné
Jean-Baptiste, résume clairement les cir-

constances qui l'amenèrent à cet exil :
« Quand mon père eut achevé ses études
à Port-Royal, il vint faire sa philosophie
à Paris et la fit au collège d'Harcourt.
On songea après cela à le mettre dans
l'état ecclésiastique ; et comme il avait
un oncle fort âgé à Uzès, qui y possédait un bénéfice assez considérable, étant
outre cela prévôt de la cathédrale, on l'envoya passer quelque temps auprès de lui
dans la vue d'engager le bonhomme à lui
résigner un bénéfice. Cet oncle s'appelait
le Père Sconin ; il était religieux de Sainte-
Geneviève, et avait été général de l'ordre ;
et comme c'était un homme fort austère
et naturellement remuant, on craignait
qu'il ne voulût faire des changements dans
l'ordre ; et pour se défaire honnêtement
de lui, quand le temps de son généralat
fut expiré, on l'envoya bien loin et on
lui donna le bénéfice dont je parle. »

Antoine Sconin avait été en effet un
personnage puissant. Supérieur général et

abbé triennal de la congrégation de Sainte-Geneviève, il avait porté la crosse et la mitre, et même tenu tête à l'archevêque de Paris dans une question de préséances, à la procession de la châsse. Exilé à Uzès par ses ennemis, cet homme excellent mais d'humeur batailleuse devint la proie des moines dont il s'exténuait à payer les dettes. C'est vers ce protecteur qui aurait eu besoin lui-même d'être protégé, qu'un jour d'automne de 1661 Jean Racine, le cœur léger, se mit en route.

III

Il voyagea le plus commodément du monde, et c'est un trait de sa nature que l'habitude qu'il prit chaque soir de galoper devant les autres pour aller retenir le meilleur lit à leur barbe. Ce qui l'affligea d'abord, ce fut, dès Lyon, de ne plus entendre le langage des gens, au point qu'à Valence, ayant demandé, à l'auberge, un pot de chambre, la servante glissa un réchaud sous son lit : « Vous pouvez imaginer, écrit-il à La Fontaine, les suites de cette maudite aventure et ce qu'il peut arriver à un homme endormi qui se sert d'un réchaud dans ses nécessités de nuit. »

Il ne s'accoutuma jamais à ce langage qu'il jugeait être aussi peu français que

le bas-breton et, tout le temps de son
séjour, appréhenda fort de gâter son style
au contact des gens du Midi. Mais cet
enfant, né dans l'Ile-de-France, fut surtout sensible à ce climat de feu, dès que
revinrent les beaux jours. Il y réagit,
comme un homme de son temps, simple-
ment, et sans y chercher, ainsi que nous
faisons, le prolongement de ses passions,
ni sans vouloir en tirer des effets litté-
raires : « L'été est fort avancé ici. Les
roses sont tantôt passées et les rossignols
aussi. La moisson avance, et les grandes
chaleurs se font sentir. » Et une autre
fois à M. Vitart : « Vous verriez un tas
de moissonneurs rôtis du soleil, qui tra-
vaillent comme des démons, et quand ils
sont hors d'haleine, ils se jettent à terre
au soleil même, dorment un *miserere* et
se relèvent aussitôt. Pour moi je ne vois
cela que de nos fenêtres, car je ne pourrais pas être un moment dehors sans
mourir : l'air est à peu près aussi chaud

qu'un four allumé, et cette chaleur continue autant la nuit que le jour. » Dans
une chronique rimée à l'usage de son
ami, éclate ce vers divin :

Et nous avons des nuits plus belles que vos jours.

Mais en Languedoc, les femmes surtout l'intéresseraient : ce ciel en fait des
passionnées. Pourtant il s'est juré d'en
détourner son cœur : il n'est point venu
ici chercher l'amour, mais un bénéfice.
Son oncle a commencé par l'habiller de
noir de la tête aux pieds, et par le jeter
dans saint Thomas. Cet excellent homme
a sur les bras toutes les affaires du dio-
cèse et toutes celles du chapitre ; il s'épuise
à débrouiller des intrigues et des procès,
mais les bonnes dispositions qu'il marque
à son neveu dépassent peut-être les pou-
voirs que celui-ci lui prête. Le jeune homme
ne se fatigue pas encore d'espérer. Le
danger est que, tout vêtu de noir qu'il
soit, il lui faut reconnaître que ce pays est

le pays de Cythère, comme il l'écrit à La
Fontaine : « Toutes les femmes y sont
éclatantes, et s'y ajustent d'une façon qui
leur est la plus naturelle du monde ; et
pour ce qui est de leur personne, *color
verus, corpus solidum et succi plenum*.
Mais comme c'est la première chose dont
on m'a dit de me donner de garde, je ne
veux pas en parler davantage : aussi bien
ce serait profaner une maison de béné-
ficier comme celle où je suis, que d'y
faire de longs discours sur cette matière.
Domus mea domus orationis. C'est pourquoi vous devez vous attendre que je ne
vous en parlerai plus du tout. On m'a dit :
« Soyez aveugle. » Si je ne le puis être tout
à fait, il faut du moins que je sois muet ;
car, voyez-vous, il faut être régulier avec
les réguliers, comme j'ai été loup avec
vous et avec les autres loups vos com-
pères. *Adiousias.* »

Lorsqu'il fait le voyage de Nîmes, lors
des fêtes qu'on y donne pour la naissance

d'un dauphin, à peine trouve-t-il à dire
un mot des arènes, et il s'intéresse bien
moins aux fusées qu'aux visages charmants qu'elles éclairent. Il est tenté, rôde
autour du piège, songe à son bénéfice et
ne se laisse pas prendre. Il confie à son
ami Le Vasseur : « Il y a ici une demoiselle
fort bien faite et d'une taille fort avanta-
geuse. Je ne l'avais guère vue que de cinq
ou six pas et je l'avais toujours trouvée
fort belle. Son teint me paraissait vif et
éclatant, les yeux grands et d'un beau
noir, la gorge et le reste de ce qui se découvre assez librement en ce pays, fort
blanc. J'en avais toujours quelque idée
assez tendre et assez approchante d'une
inclination... Je m'approchai d'elle et lui
parlai... mais sitôt que j'ouvris la bouche
et que je l'envisageai, je pensai demeurer
interdit. Je trouvai sur son visage de
certaines bigarrures, comme si elle eût
relevé de maladie, et cela me fit bien
changer mes idées... Pour vous dire la

vérité, il faut que je l'aie prise en quelqu'un de ces jours fâcheux et incommodes
où le sexe est sujet. »

Racine fut toujours sensible, en fait de
peau, à ce qui était « fort blanc », et dans
les *Amours de Psyché* La Fontaine met
sur ses lèvres ces vers embaumés :

> Jasmins, dont un doux air s'exhale,
> Fleurs que les vents n'ont pu ternir,
> Aminte en blancheur vous égale
> Et vous m'en faites souvenir...

Le clerc-malgré-lui rapporte d'assez
atroces histoires avec beaucoup de complaisance. Le jeune homme qui porte en
lui Hermione, Roxane et Phèdre, admire
l'humeur des gens de Languedoc, et les
loue de ce qu'ils poussent les passions aux
derniers excès ; telle cette jeune fille qui
prend de l'arsenic parce que son père
l'avait querellée : « On croyait qu'elle
était grosse, et que la honte l'avait portée
à cette furieuse résolution. Mais on l'ou-
vrit tout entière, et jamais fille ne fut

plus fille. » Il y a là un ton de détachement
et de curiosité froide qui ne laisse point
de nous éclairer cet esprit clairvoyant,
glacé, un peu sadique ; des mieux faits
pour bien connaître le cœur des autres. Il
sait être attentif à ce qui les atteint, sans
s'y intéresser de trop près, sans y prendre
même beaucoup de part, si ce n'est pour en
jouir. On sent qu'il mépriserait bien ce
pays et ses habitants, n'était la folie dont
ils sont capables en amour. Stendhal eût dû
s'accorder avec Racine au moins dans ce
goût-là : « Vous saurez qu'en ce pays-ci
on ne voit guère d'amours médiocres :
toutes les passions y sont démesurées... »

Cependant le Père Sconin ne réalise rien
de ce qu'il a promis : la distribution des
bénéfices lui échappe. Il songe à traîner
son neveu à Nîmes pour le faire tonsurer.
Peut-être pourrait-il trouver un bénéfi-
cier séculier qui voulût de son bénéfice, à
condition de résigner à Jean Racine celui
qu'il aurait ? Ce n'est pas le bon vouloir

qui lui manque ; le jeune homme n'en
disconvient pas, mais s'irrite ; il est au
moment d'obtenir le prieuré d'Oulchy, et
tout échoue par la malveillance d'un certain Dom Cosme. Racine s'aigrit ; les gens
d'ici, décidément, lui font horreur ; il écrit
à Le Vasseur qu'il ne faut qu'un quart
d'heure de conversation pour lui faire
haïr un homme, tant les âmes d'Uzès sont
méchantes et intéressées. Surtout son
innocence commence à lui peser. Il néglige
saint Thomas pour écrire un poème dont
nous ne connaissons que le titre, mais qui
laisse à penser : *les Bains de Vénus.*

Enfin l'habit noir (et peut-être la ton-
sure), comme il arrive toujours chez les
clercs sans vocation, l'emplit de malignité à l'égard des gens d'Église : « Nos
moines sont plus sots que pas un, et qui
plus est, des sots ignorants, car ils n'étu-
dient point du tout. Aussi je ne les vois
jamais... » C'est vrai qu'il écrit cela à
propos des *Lettres provinciales,* dont on

sent bien, ici, l'influence directe qui était
déjà anticléricale, et non pas seulement
tournée contre les jésuites. Racine note
qu'en Languedoc, on ne les voit que dans
les mains des huguenots ; et cela en dit
long sur le rôle que jouait Port-Royal
dans l'Église, même en son plus beau
temps. Mais ce qui porte à son comble l'exaspération du jeune loup fait
ermite, ce sont les pieuses missives de la
tante Sainte-Thècle, et la nécessité où il
se trouve de lui répondre de la même eau
bénite. Quelle fureur contenue, quelle rage
froide, dans cet endroit d'une lettre à
M. Vitart : « Je tâcherai d'écrire cet après-
dîner à ma tante Vitart et à ma tante la
religieuse, puisque vous vous en plaignez.
Vous devez pourtant m'excuser si je ne
l'ai pas fait, et elles aussi ; car que puis-je
leur mander ? C'est bien assez de faire ici
l'hypocrite, sans le faire encore à Paris
par lettre ; car j'appelle hypocrisie d'écrire
des lettres où il ne faut parler que de

dévotion, et ne faire autre chose que se
recommander aux prières. Ce n'est pas
que je n'en aie bon besoin ; mais je voudrais qu'on en fît pour moi sans être obligé
d'en tant demander. »

Parfois il s'adoucit, et trouve pour son
ami Le Vasseur des paroles presque tendres.
Il commence à chercher quelque sujet de
théâtre et serait assez disposé à y tra-
vailler : « Mais j'ai trop sujet d'être mé-
lancolique en ce pays-ci. » Il est pourtant
probable qu'il rapporta dans son bagage
le manuscrit des *Frères ennemis;* et aussi
les *Stances à Parthénice.*

Parthénice, il n'est rien qui résiste à tes charmes :
Ton empire est égal à l'empire des dieux ;
Et qui pourrait te voir sans te rendre les armes,
Ou bien serait sans âme, ou bien serait sans yeux.
. . . .
Les nœuds de tes cheveux devinrent mes liens.
. . . .
Je ne voyais en toi rien qui ne fût aimable,
Je ne sentais en moi rien qui ne fût amour.
. . . .
Je respire bien moins en moi-même qu'en toi.

IV

En 1663, Racine est rentré à Paris,
gros Jean comme devant, et loge d'abord
chez le duc de Luynes. Sa nature contenue
à Uzès rompt les dernières digues. Il en
a pour quinze ans à ne plus guère subir
d'autre frein que celui de l'intérêt. Son
génie ne tremblera plus devant personne.
Nous allons le voir braver du même front
la gloire jalouse de Corneille, l'amitié d'un
aîné tel que Molière, Port-Royal, enfin.
C'est le temps où un créateur prend conscience de ses dons redoutables, et ne se
reconnaît plus de devoirs qu'envers son
œuvre. L'homme de lettres n'a pas commencé de se faire Dieu, au siècle de Voltaire et de Rousseau ; un Racine sent profondément, sinon ce qu'il apporte à la

France, du moins ce qu'il se doit à lui-
même. Tout adversaire de ses tragédies
devient son ennemi déclaré et il l'assomme
avec les ressources d'un esprit dont la
malice touche au féroce. Nul n'a sur lui
de pouvoir que ce Boileau auquel un pacte
le lie ; un pacte, et non plus ce léger et
tendre lien de l'adolescence qui l'atta-
chait à Le Vasseur. Il a trouvé en Boileau
cet admirateur à la fois passionné, lucide,
exigeant, dont nul écrivain ne se passe
sans dommage. Un auteur a besoin d'être
admiré, mais à bon escient.

Gardons-nous d'ailleurs de faire du jeune
poète revenu à Paris un monstre d'in-
sensibilité : en cette année 1663, il se
montre fort affecté par la mort de sa
grand'mère, Marie Desmoulins. Mais déjà
il est à son affaire ; et la *Renommée aux
Muses* rend grâces à Louis XIV des libé-
ralités qu'avait values au débutant son
Ode sur la convalescence du roi. Chapelain
s'était entremis dans cette affaire. Une

gratification de six cents livres marque les
premiers pas de Racine dans ce métier
de courtisan où il ne montrera pas, quoiqu'on ait dit, une adresse égale à son
génie. En cours de route, et dans le temps
de ses plus grands désordres, il obtiendra
sans effort ce que toute sa contention
d'Uzès n'avait pu lui mériter : le jeune
amant de la Du Parc fut aussi prieur de
Sainte-Madeleine de l'Épinay ; et lorsqu'il
fut dépouillé de ce bénéfice, à la suite du
procès dont il tira l'inspiration des *Plaideurs*, il devint prieur de Saint-Jacques
de la Ferté.

Mais *la Renommée aux Muses* lui valut
beaucoup mieux qu'une gratification : l'admiration du comte de Saint-Aignan qui
l'introduisit à la Cour, et l'amitié de Boileau à qui Le Vasseur avait apporté l'ouvrage de son ami.

Vers la même époque, Molière acceptait de jouer *la Thébaïde ou les Frères*

ennemis. A-t-il reçu le sujet de Molière
lui-même? L'avait-il traité déjà à Uzès?
Molière a-t-il retouché cette très médiocre
pièce, imitée de Rotrou et, à travers lui,
de Sénèque, et dont la lecture est aujour-
d'hui à peu près insoutenable? Le certain,
c'est qu'à son propos se noua la brève
amitié des deux hommes dont, l'année
suivante, une nouvelle tragédie, *Alexandre
le Grand*, devait consommer la rupture.
Même, si tout l'odieux n'en devait point
appartenir à notre poète, le culte aveugle
qu'en France nous rendons à Molière eût,
avant tout examen, dressé l'opinion contre
Racine. Il avait confié l'*Alexandre* à la
troupe de son ami. Dès le lendemain de la
première représentation, il vit sa tragédie vouée au désastre. Pourtant elle
avait été lue à l'hôtel de Nevers, chez
Mme de Plessis-Guénégaud, et écoutée avec
une faveur extrême par une assemblée où
figuraient La Rochefoucauld, Pomponne,
Mme de La Fayette, Mme et Mlle de Sé-

vigné. Mais tous les acteurs, sauf Mlle Du
Parc, durent être au-dessous du médiocre.
Aucune loi n'assurait alors la propriété
d'une pièce au théâtre qui l'avait reçue.
Le jeune Racine, sans vergogne, sacrifia
à la fortune de sa tragédie l'amitié de
Molière, et fit représenter l'*Alexandre* à
l'hôtel de Bourgogne dont la troupe l'em-
portait de beaucoup, pour le tragique, sur
celle du Palais-Royal. Il y triompha, en
effet, avec Floridor, Montfleury, Mlles des
Œillets et d'Ennebaut.

Trouverons-nous à Racine une autre
excuse que ce que l'on peut dire en faveur
du poète pour qui rien au monde n'importe autant que ce qu'il crée, et qui ne
se connaît pas de devoir supérieur à celui
de servir son ouvrage et d'empêcher qu'il
périsse? Il en est une autre, en effet :
notre Racine n'a pu trahir l'amitié de
Molière parce que Molière lui était un
camarade excellent, un illustre aîné dont
il écoutait les conseils avec plus ou moins

d'approbation et de patience, mais non
sans doute un ami, au sens profond. Nous
avons peine à ne pas avoir devant les
yeux, depuis le collège, cette image d'Épi-
nal : Boileau, La Fontaine, Racine, Molière et Chapelle attablés au *Mouton blanc*,
à la Pomme de Pin, *à la Croix de Lor-*
raine, et se divertissant à écrire de con-
cert la farce de *Chapelain décoiffé*.

La Fontaine, au début des *Amours de*
Psyché et de Cupidon, se souvient de ces
agapes : « Quatre amis dont la connaissance avait commencé par le Parnasse,
lièrent une espèce de société que j'appel-
lerais académie, si leur nombre eût été
plus grand et qu'ils eussent autant re-
gardé les muses que le plaisir. La première
chose qu'ils firent, ce fut de bannir d'entre
eux les conversations réglées et tout ce
qui sent la conférence académique. Quand
ils se trouvaient ensemble et qu'ils avaient
bien parlé de leurs divertissements, si le
hasard les faisait tomber sur quelques

points de sciences ou de belles-lettres, ils
profitaient de l'occasion : c'était, toutefois
sans s'arrêter longtemps à une même matière, voltigeant de propos en autres comme
des abeilles qui rencontreraient sur leur
chemin diverses sortes de fleurs... »

Il est ici question de quatre amis et non
de cinq et ils ne sont peut-être pas les
grands hommes que la tradition désigne.

D'ailleurs quel auteur ne se plaît à boire
et à rire avec des confrères auxquels son
cœur ne s'intéresse pas le moins du monde?
Nous avons des raisons de ne pas croire
qu'il y ait eu un vrai commerce d'amitié
entre les deux écrivains, dont l'une est
précisément la conduite de Racine à
l'égard de Molière. Il ne traita jamais de
la sorte Vitart, Le Vasseur ou Boileau.
Aussi aveugle que fût son attachement à
la tragédie qu'il voulait sauver, pour
un homme qui lui aurait été cher, il
se fût mis en frais de quelques ménage-
ments ; mais au contraire, il redouble

de mauvais procédés à l'égard de l'auteur
des *Précieuses* puisque, l'année suivante,
il lui enleva Mlle Du Parc, étoile du Palais-
Royal, et dont Molière était vainement
épris.

Même avant qu'aucun nuage ne se fût
élevé entre eux, Racine déjà ne parlait
pas de son illustre confrère comme de
quelqu'un qui lui fût cher : « Montfleury a
fait une requête contre Molière, écrit-il à
l'abbé Le Vasseur, et l'a donnée au roi. Il
l'accuse d'avoir épousé la fille, et d'avoir
autrefois couché avec la mère ». Et sans
doute ce « potin » renferme moins de poison
que ce qu'y substitua, par pudibonderie, ce
pauvre fraudeur de Louis Racine dans la
version qu'il donne de cette lettre : « Il
accuse Molière d'avoir épousé sa propre
fille. » Pour ne pas vouloir que son père
ait écrit « couché avec », le nigaud lui
prête un ragot beaucoup plus atroce que
celui dont nous ne pouvons nier qu'il soit
coupable. Mais enfin Racine eût-il ainsi

parlé d'un homme qui lui aurait été cher?
L'eût-il fait, du moins, sans un mot de ré-
probation et de dégoût? Nous ne le pen-
sons pas. Dans une autre lettre, il raconte à Le Vasseur qu'au lever du roi il
a trouvé Molière, « à qui le roi a donné
assez de louanges ; et j'en ai été bien aise
pour lui : il a été bien aise aussi que j'y
fusse présent... » Ce petit trait, pour innocent qu'il soit, ne témoigne pas d'une particulière bienveillance. Ne peut-on con-
jecturer que Racine et Molière sortaient
de deux mondes trop différents pour se
comprendre et pour s'aimer? Quelle en-
tente profonde eût pu se fonder entre le
comédien qui avait roulé sa bosse et couru
toutes les routes de France dans le char
de Thespis, et ce jeune grand bourgeois
de la Ferté-Milon, fils spirituel de M. Le
Maître, et en dépit de son déchaînement
contre Port-Royal, suprême fleur d'une
lignée provinciale et janséniste? Deux
auteurs, fussent-ils touchés de la même

gloire, gardent presque toujours entre eux
la distance que le sort mit dans leur première jeunesse. **Leur amitié ne saurait être
que de surface.** Vit-on jamais les anciens
« truands » même nantis, se lier par le cœur
avec ceux qui ne connurent jamais la vie
errante ni la faim?

Voici que se lève, pour Jean Racine, le
jour de la révolte. Elle avait dû être pré-
parée de loin par les coups de boutoir
de la Mère Sainte-Thècle, tels que ce frag-
ment de lettre non datée mais qui doit
être de 1663. (Louis Racine en a donné
une version inexacte ; nous en publions
ici le texte intégral) :

« Gloire à J.-C., au Très Saint-Sacrement.

« Ayant appris de Mlle ... que vous aviez
dessein de faire ici un voyage avec M. son
mari, j'étais dans le dessein de demander
à notre Mère de vous voir, parce que
quelques personnes nous avaient assuré

que vous étiez dans la pensée de songer
sérieusement à vous, et j'aurais été bien
aise de l'apprendre par vous-même, afin
de vous témoigner la joie que j'aurais,
s'il plaisait à Dieu de vous toucher sen-
siblement, et je vous écris ceci dans l'amer-
tume de mon cœur, et les larmes aux yeux,
que je souhaiterais pouvoir répandre en
assez grande abondance devant Dieu pour
obtenir de Lui votre salut, qui est la chose
du monde que je souhaite avec le plus d'ardeur. J'ai donc appris avec douleur que
vous fréquentiez plus que jamais des personnes dont le nom est abominable à
toutes les personnes qui ont tant soit peu
de piété, et avec raison, puisqu'on leur
interdit l'entrée de l'église et la communion des fidèles, même à la mort, à moins
qu'ils ne se reconnaissent. Jugez donc,
mon cher neveu, dans quelle angoisse je
peux être, puisque vous n'ignorez pas la
tendresse que j'ai toujours eue pour vous,
et que je n'ai jamais rien désiré, sinon

que vous fussiez tout à Dieu dans quelque emploi honnête. Je vous conjure donc, mon cher neveu, d'avoir pitié de votre âme, et de rentrer dans votre cœur, pour y considérer sérieusement dans quel abîme vous vous êtes jeté. Je demanderai à Dieu cette grâce pour vous. Je souhaite que ce qu'on m'a dit ne soit pas vrai ; mais si vous êtes assez malheureux pour n'avoir pas rompu un commerce qui vous déshonore devant Dieu et devant les hommes, vous ne devez penser à nous venir voir, car vous savez bien que je ne pourrais pas vous parler, vous sachant dans un état si déplorable et si opposé au christianisme. Cependant je ne cesserai pas de prier Dieu qu'il vous fasse miséricorde, et à moi en vous la faisant, puisque votre salut m'est si cher. »

Ces sortes d'épîtres manquent toujours leur but et ne servent qu'à persuader un libertin que ce christianisme si farouche est incompatible avec la vie des honnêtes gens, et même avec la vie tout court : Dieu peut-il vouloir que le monde finisse? Et qu'un jeune homme a de peine à croire qu'il est abominable d'aimer et d'être aimé ! Si, comme il est probable, Jean Racine était déjà engagé dans ses amours de théâtre, il devait sentir vivement l'injure faite à l'objet de sa tendresse. Nul doute qu'il ait inventé, à ce moment-là, ce que chacun trouve, en de telles circonstances, contre une religion dont nous nous persuadons qu'elle calomnie tout ce qui a du prix à nos yeux ; et notre révolte est d'autant plus furieuse que nous sentons plus résistante la chaîne qui nous lie au Dieu de notre enfance. Faut-il choisir? devait songer le jeune Racine. Dieu ne peut exiger que je me détruise et c'est me détruire que d'étouffer l'œuvre que je porte. Suis-je même libre d'empêcher qu'elle naisse? Est-il une force au monde pour empêcher cette naissance?

Lorsque toutes mes créatures vivront,
que j'aurai donné tout mon fruit, qu'il
ne restera plus que de me répéter, alors
peut-être, s'il est temps encore, songerai-je
sérieusement à désarmer le Dieu impitoyable de M. Singlin et de la tante
Sainte-Thècle, et éviterai-je du même coup
d'écrire, à la fin de ma carrière, d'aussi
mauvaises tragédies que celles du vieillard
Corneille.

Pour l'instant, en cette année 1665, il
cède à l'irritation qu'une attaque impru-
dente de Nicole va porter à son comble.
Nicole qui avait répandu, sans beaucoup
de succès, de petites lettres anonymes sur
l'*Hérésie imaginaire*, s'avisa d'en écrire huit
autres, sous le titre de *Visionnaires*, où il
attaquait en ces termes un ennemi de
Port-Royal, Marets de Saint-Sorlin : « Chacun sait que sa première profession a été
de faire des romans et des pièces de
théâtre, et que c'est par où il a commencé

à se faire connaître dans le monde. Ces qualités, qui ne sont pas fort honorables au jugement des honnêtes gens, sont horribles étant considérées selon les principes de la religion chrétienne et les règles de l'Évangile. Un faiseur de romans et un poète de théâtre est un empoisonneur public, non des corps, mais des âmes des fidèles, qui se doit regarder comme coupable d'une infinité d'homicides spirituels, ou qu'il a causés en effet ou qu'il a pu causer par ses écrits pernicieux. Plus il a eu soin de couvrir d'un voile d'honnêteté les passions criminelles qu'il y décrit, plus il les a rendues dangereuses et capables de surprendre et de corrompre les âmes simples et innocentes. Ces sortes de péchés sont d'autant plus effroyables qu'ils sont toujours subsistants, parce que ces livres ne périssent pas, et qu'ils répandent toujours le même venin dans ceux qui les lisent. »

Cette doctrine, pour sévère qu'elle appa-

raisse, n'est pas janséniste : Bossuet ne
traite pas mieux dans sa lettre au Père
Caffaro ceux qui font métier de peindre
les passions, et nous savons bien que dans
l'Église le débat dure encore et qu'il est
de ceux qui irritent le plus un écrivain.
Racine, hors de lui, répondit par une lettre
sans nom d'auteur où, nous dit son fils
aîné Jean-Baptiste : « Il turlupinait ces
messieurs de la manière la plus sanglante
et la plus amère. » Cette lettre à l'auteur
des *Hérésies imaginaires* et des *Deux visionnaires* est écrite avec une verve em-
portée qui l'apparente aux *Provinciales*.
Encore traite-t-elle d'un sujet qui nous
tient plus à cœur que le débat de la Grâce.
Où l'on voit la jeunesse de Racine, c'est
que la prudence qu'il avait eue de ne pas
signer céda à son amour-propre d'auteur lorsqu'il vit que l'abbé Testu s'appro-
priait le libelle : il cria sur les toits qu'il
était de lui.

Ceci d'abord nous frappe ; la riposte va

bien au delà de l'attaque. Que Racine
devait en avoir gros sur le cœur ! Il lâche
d'un coup tout le venin qu'il accumulait
contre les dévots ennemis de son œuvre.
Il ne reste pas sur la défensive, court
droit au point faible de l'adversaire, et
lui assène ce coup : « Vous pouviez em-
ployer des termes plus doux que ces mots
d'*empoisonneur public*, et de *gens horribles parmi les chrétiens.* Pensez-vous que
l'on vous en croie sur votre parole? Non,
non, monsieur, on n'est point accoutumé
à vous croire si légèrement. Il y a vingt
ans que vous dites tous les jours que les
Cinq Propositions ne sont pas dans Jansénius ; cependant on ne vous croit pas
encore. » Il a cette raillerie qui sent déjà
Voltaire : « Hé ! monsieur, contentez-vous
de donner les rangs dans l'autre monde :
ne réglez point les récompenses de celui-ci. »
Où il passe toute mesure, c'est lorsque sa
haine déterre les morts, comme le lui
reproche le janséniste Du Bois dans sa

réponse, et s'en prend à la mémoire de
M. Le Maître qui avait tant aimé le petit
Racine. Mais ne va-t-il pas jusqu'à railler
la mère Angélique, par une histoire de
Capucins, la plus divertissante qui soit?

Il réfuta la réponse de ce Du Bois et
une riposte de l'avocat Barbier d'Aucour
par une nouvelle lettre aussi féroce que la
première, où il avait beau jeu de montrer
qu'aux yeux de ces Messieurs, un auteur
était innocent ou coupable selon qu'il était
ou non de leurs amis. Port-Royal veut
bien qu'on rie quelquefois : « quand ce
ne serait que d'un jésuite ». Les *Lettres
provinciales* sont-elles autre chose que des
comédies? « Dites-moi, messieurs, qu'est-ce
qui se passe dans les comédies? On y joue
un valet fourbe, un bourgeois avare, un
marquis extravagant, et tout ce qu'il y a
au monde de plus digne de risée. J'avoue
que le Provincial a mieux choisi ses personnages ; il les a cherchés dans les cou-
vents et dans la Sorbonne... Tantôt il

amène un jésuite bonhomme, tantôt un
jésuite méchant, et toujours un jésuite
ridicule. »

Cette lettre ne parut pas; on nous
assure que Racine se rendit à cette réflexion de Boileau que ceux qu'il attaquait étaient les plus honnêtes gens du
monde. Mais nous doutons que le Racine
de ce temps-là ait pu être si aisément
désarmé. Sans doute vaut-il mieux en
croire cette lettre d'un janséniste inconnu
à Nicolas Vitart, où il apparaît bien que
Port-Royal agit en sous-main pour obliger
Racine à se taire. On détenait de lui un
écrit imprudent où il jurait ses grands
dieux qu'il n'était pas l'auteur de la lettre
à Nicole. On priait M. Vitart de faire
remarquer à son cousin que le monde n'a
jamais d'estime pour ceux qui déchirent
les personnes à qui ils ont de l'obligation.
Le correspondant de Vitart rappelle que
Racine s'est vanté plus d'une fois de
fonder sa fortune aux dépens de Port-

Royal, et d'entrer, grâce à ses attaques, dans les charges ecclésiastiques. Racine vieilli, en pleine Académie, put dire à l'abbé Tallemant que cette lettre à Nicole était l'endroit le plus honteux de sa vie, mais nous ne doutons pas qu'il fût fort éloigné de ces sentiments lorsqu'il consentit à ne pas publier sa seconde diatribe : alors le jeune ambitieux cédait à des raisons où son cœur ni sa conscience n'avaient rien à voir.

Le tort de Racine, en ce débat, est qu'ayant dans le fond raison, il se soit beaucoup moins soucié de le démontrer que de porter à l'adversaire des coups sanglants. Aujourd'hui où nous ne cessons d'être en butte aux mêmes attaques dont il s'exaspérait, nous aimerions à invoquer son témoignage ; mais ses railleries ne servent à rien qu'à nous confirmer ce qui est hors de cause : que M. Racine avait bien de l'esprit, et du plus méchant. Ce peintre de l'homme

aurait eu beau jeu pourtant à soutenir
qu'il nous est impossible de faire mieux
connaître l'homme sans servir la religion
catholique. Il aurait pu faire entendre à
des jansénistes, au lieu de railler les *Provinciales*, que Pascal n'a rien tenté d'autre
dans son apologie (dont on devait commencer à s'entretenir, bien que les *Pensées* ne dussent paraître que trois ans plus
tard) que de prouver la vérité de la religion en portant à la lumière la confor-
mité de ses mystères avec ceux de notre
cœur ; et enfin qu'un romancier et qu'un
dramaturge peuvent y atteindre comme
lui, et même à leur insu. Peut-être lui
eussent-ils donné raison, eux qui devaient
plus tard se sentir quelque faiblesse pour
Phèdre, « malgré soi perfide, incestueuse. »

V

Cette implacabilité du jeune Racine triomphant contre Molière, contre Port-Royal, bientôt contre Corneille, peut-être révèle-t-elle un cœur, par ailleurs comblé. Un seul être accapare toutes ses puissances de tendresse ; « on n'aime plus personne quand on aime. » Notre amour confisque à son profit toutes nos réserves de faiblesse et de miséricorde. Les autres ne comptent guère ; nous n'en prenons conscience que comme d'obstacles. Rien de si factice que cette opposition entre le tendre Racine et le cruel Racine où la critique se complaît. Souvent un homme est irritable dans la mesure où il est tendre. Il ne supporte rien d'autrui parce qu'il supporte tout d'une personne unique.

Mais ce Racine qui, l'année d'*Andromaque*, en 1668, entre dans une gloire qui
jusqu'en 1677 ne connaîtra pas d'éclipse,
entre en même temps pour nous dans une
obscurité étrange. Nous ne connaissons
presque plus rien de ce triomphateur, hors
ses triomphes. Son histoire se confond avec
celle de ses tragédies : *Andromaque*, les
larmes dont Madame en honora la lecture, les sanglantes épigrammes de Racine ; *Britannicus*, la pièce des connais-
seurs, son demi-échec, les Préfaces qui
chargent furieusement le vieux Corneille ;
Bérénice : les allusions aux amours du
roi et de Marie Mancini ; le jeu cruel que
joue Madame de mettre aux prises sur
le même sujet le jeune poète, au comble
de la gloire et un vieillard illustre mais
fourbu ; *Bajazet* et ses Turcs qui ne sont
pas de vrais Turcs, et cette grande tuerie
dans les raisons de quoi Mme de Sévigné
n'entrait pas ; *Mithridate*, *Iphigénie*, les
fêtes de la Cour et tous les pleurs que fait

répandre la Champmeslé ; *Phèdre*, et dans
l'éclair de cette première défaite, Jean
Racine, non plus l'auteur, mais l'homme
qui reparaît à nos yeux, avec ce beau
visage vieilli, torturé, tel que l'a peint
de Troy dans le portrait qui est à Langres,
et que nous reconnaissons enfin après dix
ans d'une gloire qui, mieux qu'aucune
ténèbre, nous le déroba.

Mais ces tragédies seules ne nous
éclairent-elles point déjà le cœur qui les
conçut? Louis Racine, avec plus de sub-
tilité qu'il n'a coutume d'en montrer, soutient que la tendresse qui règne dans le
théâtre de son père ne saurait être attri-
buée à un caractère plein de passion et
dénonce le préjugé de ceux qui s'imaginent
qu'un auteur se peint dans son ouvrage.
Mais il ne s'agit point d'attribuer à Racine (bien qu'on l'ait fait et non, comme
nous le verrons, sans quelque apparence
de fondement) aucune des violences d'une
Hermione ou d'une Roxane. Les actes des

personnages sont le plus souvent, dans
un drame, la part de l'invention. Intrigue,
péripéties, c'est affaire de métier, et chez
Racine c'est même souvent ce qu'il emprunte aux anciens, ce qu'il imite. Tant
de suicides et d'assassinats nous pourraient être aussi bien contés par l'auteur
le plus douceâtre, pourvu qu'il ait lu les
Grecs. Mais nous verrons, quand il sera
temps d'en parler, que Jean Racine, le
premier chez nous, osa regarder en face
les passions de l'amour ; le premier, il
dépouille l'amour de ses oripeaux ; et ce
qui détourna ses contemporains de s'en
rendre compte, ce fut sans doute la perfection même d'une poésie inimitable ;
perfection si haute qu'elle nous paraît
préétablie et qu'il semble que certains
vers de Racine furent non pas inventés,
mais découverts. Ce miracle, aujourd'hui
encore, nous entretient dans une euphorie
qu'il faut vaincre pour mesurer l'apport
immense de Racine. Nous y reviendrons à

loisir. Mais marquons déjà, contre Louis
Racine, que l'homme qui donnait des passions une peinture si nouvelle, en avait
subi le feu. A qui sut peindre l'amour,
rien n'est venu de l'extérieur ; rien de
neuf ne s'observe en dehors de nous ;
toute découverte s'accomplit sur notre
propre chair ; nous empruntons aux autres
des tics, des ridicules, des manies. Un
auteur qui ne fait métier que d'observer
les hommes ne dépassera guère la cari-
cature ; sans doute peut-il s'élever jusqu'à
peindre des *caractères;* mais malgré tout
ce que nous devons au mérite de l'admirable La Bruyère, il a raison d'assurer
qu'il rend au public ce que le public lui a
prêté, et ce n'est pas beaucoup dire. Ce
que les hommes espèrent de nous, c'est
une vérité qu'ils puissent s'appliquer, mais
une vérité dont notre unique cœur renferme les éléments : une seule parole profonde sur l'amour est le prix de tout un
destin passionné.

La Du Parc, la Champmeslé : toute
l'expérience amoureuse de Jean Racine
tient-elle dans ces deux noms? S'il aima
passionnément la première, elle mourut
en 1668, l'année même d'*Andromaque*.
Faut-il admettre que jusqu'à *Phèdre*, le
cœur de Racine fût occupé entièrement
par cette Champmeslé dont il partageait
les faveurs avec beaucoup d'autres, en la
compagnie desquels il faisait volontiers la
débauche? C'est surtout dans ce qui touche
aux choses du cœur que nous admirons
l'assurance des biographes et des critiques.
Parce que ces deux seuls noms de femmes
ont surnagé, nous ne nierons pas l'existence de celles qui nous demeurent inconnues. La Du Parc, la Champmeslé furent
les interprètes de Racine ; elles doivent
à ce titre de n'avoir pas sombré avec
tant d'autres êtres charmants qui, mieux
qu'elles peut-être, surent guider Racine
dans ce labyrinthe des passions où il s'est
perdu à leur suite, puis enfin, retrouvé.

Les historiens de la littérature admettent
tous que « son caractère était plein de
passion », selon le témoignage de Valincour, mais qu'il fut une flamme sans aliment. Il n'existe pourtant pas d'être créé
pour l'amour, doué pour l'amour, qui n'ait
passé sa vie à aimer. Ne soyons pas dupes
des images, ni des symboles : l'amour est
une flamme, mais une flamme qui crée ce
qui la nourrit, et qui le créerait dans la
pire solitude. Si nous admettons, avec tous
ses contemporains, que Jean Racine au
comble de la gloire, jeune et d'un visage
noble et charmant, au milieu d'une cour
la plus galante du monde, sous un roi qui
déifiait ses maîtresses, si nous admettons
qu'il fut rempli de la passion dont il nous
a donné une peinture éternelle, reconnaissons aussi que cette passion trouva
d'autres personnes à qui se prendre que
ses deux interprètes officielles.

N'avons-nous point d'ailleurs le témoignage de Mme de Sévigné? Elle écrit à

propos de *Bajazet :* « Si jamais il n'est plus
jeune et qu'il cesse d'être amoureux, ce
ne sera plus la même chose ». La question
ne se posait même pas pour cette vivante
gazette de la Cour et de la ville : Racine
jamais ne cessait d'être amoureux. Rap-
pelons-nous ce qu'elle écrivait après *Esther :* « Il aime Dieu comme il aimait ses
maîtresses. » La Du Parc étant morte alors,
depuis vingt et un ans, s'il n'y avait eu
que la Champmeslé pour occuper le cœur
de Racine jusqu'à sa conversion, la dame
n'eût-elle pas écrit : « Comme il aimait sa
maîtresse »?

Dans les *Amours de Psyché* de La Fontaine, Acante (qui est peut-être Racine)
s'émeut d'un récit amoureux : « Acante,
qui se souvint de quelque chose, fit un
soupir... » Ainsi ses amis voyaient-ils
Racine : un cœur toujours troublé.

Mais avant d'atteindre cette crise de
1677 qui nous permettra d'aller plus
avant dans « l'intérieur » de Jean Racine,

suivons rapidement ce faîte étincelant de
son destin d'*Andromaque* jusqu'à *Phèdre*.
Que le lecteur ne se choque point de cette
marche précipitée : nous referons, par le
dedans, toute la route.

VI

Andromaque naquit en 1668, sous les auspices d'Henriette d'Angleterre, duchesse d'Orléans : « On savait que Votre Altesse Royale avait daigné prendre soin de la conduite de ma tragédie. On savait que vous aviez prêté quelques-unes de vos lumières pour y ajouter de nouveaux ornements. On savait enfin que vous l'aviez honorée de quelques larmes, dès la première lecture que je vous en fis... »

La pièce fut d'abord représentée dans l'appartement de la reine, puis en novembre, à l'hôtel de Bourgogne. Mlle Du Parc, que Racine amoureux avait enlevée l'année précédente à Molière, tenait le rôle d'Andromaque ; la Des Œillets fut Hermione, Floridor Pyrrhus et Mont-

fleury Oreste. Admirateurs et adversaires,
tous passionnés, s'accordaient au moins
pour reconnaître l'importance de l'ouvrage. Le parti de Corneille courut aux
armes : d'Angleterre, Saint-Évremond rendit l'oracle que Racine devait avoir plus de
réputation qu'aucun autre, mais *après
Corneille.* Toutes les attaques contre Racine étaient inspirées par le lion devenu
vieux, qui n'entendait point laisser la
place et traitait son adversaire d'enjoué
et de doucereux. Il avait eu en mains le
manuscrit de l'*Alexandre* et avait jugé que
ce débutant, dépourvu de talent pour la
tragédie, ferait bien de cultiver un autre
genre. Le condamné avait fait appel de
cette sentence, avec un succès accablant
pour son vieux juge. Soutenu par Madame
et par toute la jeune cour, Racine fit front,
audacieux parce qu'il était heureux. Au
vrai, reproches et louanges s'attachaient
à des vétilles ; pour les contemporains,
le tout est de savoir si Pyrrhus n'est pas

un prince amoureux trop brutal, ou si
au contraire ce roi barbare ne fait point
figure d'un Céladon. Les gens du dix-
septième siècle étaient bien plus préoc-
cupés que nous ne le sommes de ce qui
s'est appelé depuis : couleur locale. Ils
n'acceptaient point, comme nous faisons,
que la tragédie classique soit, pour tout
ce qui touche au dehors, le comble du
convenu et de l'artifice, et qu'elle n'ait à
chercher la vérité que dans les sentiments. A propos de *Britannicus* et de
Bajazet, les thuriféraires de Corneille
s'acharneront à quereller Racine sur ses
Romains et sur ses Turcs.

Il fallait que le jeune poète se sentît
soutenu par toutes les puissances de l'État
pour s'offrir le plaisir d'écraser des cen-
seurs tout-puissants à coups d'épigrammes
atroces. Celle qu'il décocha contre Créqui
et d'Olonne passe toute mesure, si l'on
se souvient que le duc de Créqui avait
beaucoup moins que de l'inclination pour

les femmes, et que d'Olonne était un
mari célèbre par son infortune :

La vraisemblance est choquée en ta pièce.
Si l'on en croit et d'Olonne et Créqui :
Créqui dit que Pyrrhus aime trop sa maîtresse ;
D'Olonne, qu'Andromaque aime trop son mari.

Le Racine de ce temps-là unit beaucoup de souplesse envers les puissants à
une témérité folle ; et quoiqu'on en ait
dit, cette merveille de courtisan aura toujours de ces échappées qui compromet-
tront ses trames les mieux ourdies et qui
finiront par le perdre.

Cependant Molière se vengeait de Racine
en donnant à son théâtre une absurde
parodie de Subligny : *la Folle querelle*.
Qu'importait à l'auteur d'*Andromaque*?
Les femmes continuaient de pleurer à sa
pièce, et jusqu'à Mme de Sévigné qui, bien
qu'engagée dans le parti de Corneille,
avouait à sa fille qu'elle avait versé « plus
de six larmes », et c'était à Vitré, aux représentations d'une troupe de campagne.

Le 11 décembre 1668, Mlle Du Parc
mourait en couches. Nous avons un témoignage de la douleur de son amant par la
chronique rimée de Robinet qui nous
montre, derrière le cercueil, les poètes du
théâtre :

> Dont l'un, le plus intéressé,
> Était à demi trépassé.

Racine avait veillé cette agonie, sur
laquelle se penchèrent de louches figures.
Était-ce le fruit de leurs amours qui coû-
tait la vie à la malheureuse? Quand elle
eut expiré, commit-il l'imprudence d'en-
lever une bague de cette main chaude
encore? Disputa-t-il des *souvenirs* à la
meute qui entourait l'alcôve?

Actrice assez médiocre, mais qui avait
su tirer profit des leçons de Racine (elle
l'avait connu, à l'âge de vingt-cinq ans,
étant veuve déjà de l'acteur Du Parc)
elle était la fille d'un certain Giacomo de
Gorla, marié en secondes noces à Benoîte

Lamarre. C'est cette Benoîte Lamarre qui aurait, selon la Voisin, accusé Racine d'avoir empoisonné sa maîtresse. Il faut attendre douze ans encore pour connaître le retentissement terrible de cette mort dans la vie du poète. Notons seulement que le jeune Racine, en même temps qu'il lisait ses pièces à Madame et se poussait à la Cour, fréquentait aussi un milieu plus que suspect, puisque la Voisin y avait ses entrées. Nous savons qu'il tint sur les fonts un enfant dont la fille de la Du Parc était marraine. De même qu'entre Port-Royal et le monde, il existait des régions intermédiaires où le petit Racine fit sa mue, le milieu des honnêtes gens n'était pas plus qu'aujourd'hui séparé par des abîmes de celui des irréguliers, ni même de la crapule. Racine devait payer cher, un jour, les plaisirs troubles, les profits clandestins qu'il dut trouver alors dans de telles fréquentations.

Sa douleur ne l'empêchait pas d'être

sensible au succès des *Plaideurs*, conçus
d'abord, durant cette folle année de 1668,
comme une farce pour Scaramouche ;
mais le fameux italien quitta Paris. Racine
écrivit alors une pièce plus régulière, imitée
d'Aristophane, et se servit de tous les
ridicules dont il avait été le témoin au
cours d'un procès « que ni mes juges ni
moi, dit-il, n'avons jamais bien entendu. »
Bien qu'il se flatte qu'on ait beaucoup ri
à sa pièce, nous savons qu'il fallut le
rire du roi pour dérider les courtisans ;
et à vrai dire, s'il n'y avait pour soutenir
la gloire de Racine que cette farce... Il
ne laissait pas pourtant d'en être assez
fier, et sans doute se flattait-il d'avoir
égalé, sinon battu sur son propre terrain,
Molière auquel il lance, dans sa préface,
un coup de patte : « Ce n'est pas que
j'attende un grand honneur d'avoir assez
longtemps réjoui le monde. Mais je me
sais quelque gré de l'avoir fait sans qu'il
m'en ait coûté une seule de ces sales équi-

voques et de ces malhonnêtes plaisanteries qui coûtent maintenant si peu à la
plupart de nos écrivains, et qui font re-
tomber le théâtre dans la turpitude d'où
quelques auteurs plus modestes l'avaient
tiré. » Molière dut grommeler : « Tartuffe ! »

L'année suivante, *Britannicus* échoue
plus qu'à demi. C'est le temps de la
grande offensive des amis de Corneille et
de Corneille lui-même qui assistait dans
une loge à cette première représentation
dont Boursault nous a laissé un récit
fameux : quoique adversaire de Racine,
il reconnaît que si l'assistance est clair-
semée, c'est que les marchands de la rue
Saint-Denis sont allés en place de Grève
assister au supplice du marquis de Cour-
boyer. Racine, dans sa préface, répondit
à Corneille par une attaque de front, et
non plus par des allusions : « Que fau-
drait-il faire pour contenter des juges si
difficiles? La chose serait aisée, pour peu
qu'on voulût trahir le bon sens. Il ne

faudrait que s'écarter du naturel pour se
jeter dans l'extraordinaire. Au lieu d'une
action simple, chargée de peu de matière,
telle que doit être une action qui se passe
en un seul jour, et qui s'avançant par
degrés vers sa fin, n'est soutenue que par
les intérêts, les sentiments et les passions
des personnages, il faudrait remplir cette
même action de quantité d'incidents qui
ne se pourraient passer qu'en un mois,
d'un grand nombre de jeux de théâtre,
d'autant plus surprenants qu'ils seraient
moins vraisemblables, d'une infinité de
déclamations où l'on ferait dire aux acteurs tout le contraire de ce qu'ils de-
vraient dire. Il faudrait, par exemple,
représenter quelque héros libre, qui se
voudrait faire haïr de sa maîtresse de
gaieté de cœur (allusion à l'*Attila*) ; un
lacédémonien grand parleur *(Agésilas)*,
un conquérant qui ne débiterait que des
maximes d'amour (César dans *Pompée*),
une femme qui donnerait des leçons de

fierté à un conquérant (Cornélie dans
Pompée). Voilà sans doute de quoi faire
écrier tous ces messieurs. »

Britannicus plut surtout à la Cour où
Agrippine, Néron, Narcisse, Burrhus ni
même « la fameuse Locuste » n'étonnaient
personne. Nous savons par le témoignage
de Boileau que la fureur de Néron à
monter sur le théâtre détourna Louis XIV
de figurer dans les ballets. Tel était alors
le prestige de Racine. Il entre dans le jeu
cruel de Madame lorsqu'elle songe à lui
donner la joie de vaincre Corneille à la
face du monde. On assure qu'elle choisit
elle-même ce sujet de Bérénice fait à
souhait pour Racine. Elle l'avertit qu'il
pouvait oser des allusions aux jeunes
amours du roi avec Marie Mancini et
avec elle-même. Mais la mort allait la
sevrer du plaisir de se reconnaître sous
les traits de la reine de Palestine.

Les dés étaient pipés et le grand Corneille d'avance battu. Non content d'ac-

caparer la seule troupe qui sût jouer le
tragique : celle de l'hôtel de Bourgogne,
Racine réussit à faire passer sa pièce huit
jours avant le *Tite et Bérénice* de Corneille (22 novembre 1670). D'ailleurs, cette
élégie dialoguée n'alla pas aux nues et
Boileau même fit des réserves. Il ne suffit
pas à Racine de l'emporter sur Corneille ;
dans la préface, il charge encore son vieil
ennemi à terre, il le piétine : « Il n'y a
que le vraisemblable qui touche dans la
tragédie. Et quelle vraisemblance y a-t-il
qu'il arrive en un jour une multitude de
choses qui pourraient à peine arriver en
plusieurs semaines? Il y en a qui pensent
que cette simplicité est une marque de
peu d'invention. Ils ne songent pas qu'au
contraire toute l'invention consiste à faire
quelque chose de rien, et que tout ce
grand nombre d'incidents a toujours été
le refuge des poètes qui ne sentaient dans
leur génie ni assez d'abondance, ni assez
de force pour attacher durant cinq actes

leurs spectateurs par une action simple,
soutenue de la violence des passions, de
la beauté des sentiments et de l'élégance
de l'expression. »

Ce n'était point, pour Racine, le temps
d'avoir pitié : La Champmeslé prêtait au
rôle de Bérénice une voix qui, nous dit
La Fontaine, allait droit au cœur. Cette
petite fille de Des Mares, président au
parlement de Normandie, et femme du
médiocre mais intelligent acteur Champmeslé (ou Chammelay) avait enchanté
Racine en interprétant le rôle d'Hermione. Louis assure qu'elle ne fût arrivée
à rien si son père ne s'en était mêlé ; il n'y
mit peut-être d'abord que de la patience,
puis ne laissa pas d'y trouver bientôt de
l'agrément. Que lui fut au juste une femme
dont les contemporains ne semblent guère
avoir aimé que la voix, et dont ils s'ac-
cordent pour témoigner que sa peau
n'était pas blanche et qu'elle avait les
yeux extrêmement petits et ronds? Aima-

t-il farouchement une personne que Mme de
Sévigné, qui ne prenait point au tragique
les amours de son fils Charles, appelait
plaisamment sa belle-fille, et cela en
avril 1671? A propos de la Champmeslé,
Boileau écrivit un jour à Charles-Amédée
de Broglie : « Vous étiez alors assez épris
d'elle et je doute que vous en fussiez
rigoureusement traité.» Il y en eut d'autres,
sans compter M. de Clermont-Tonnerre
qui fut du dernier bien avec elle longtemps avant de supplanter ouvertement
Racine. Le poète qui buvait beaucoup de
champagne parmi tout ce beau monde à
la table des Champmeslé, doutait si peu
d'être la sixième roue du carrosse, qu'il
écrivit à ce sujet une épigramme gros-
sière ou tout au moins qu'il y collabora.
Une femme dont il se montrait si peu
avare, put-elle être sa profonde passion?
L'auteur et l'interprète, comme c'est encore souvent l'usage, « étaient ensemble ».
Mais le drame secret de Racine a pu se

jouer ailleurs. Aussi dévot qu'il fût devenu en 1698, nous admirons qu'il ait
osé parler à son fils Jean-Baptiste de la
Champmeslé mourante sur ce ton détaché : « M. de Rost m'apprit avant-hier
que la Chamellay était à l'extrémité, de
quoi il me parut très affligé ; mais ce qui
est le plus affligeant, c'est de quoi il ne se
soucie guère apparemment, je veux dire
l'obstination avec laquelle cette pauvre
malheureuse refuse de renoncer à la comédie. » Et quelques jours plus tard :
« ...Je vous dirai, en passant, que je dois
réparation à la mémoire de la Champmeslé qui mourut avec d'assez bons sentiments après avoir renoncé à la comédie,
très repentante de sa vie passée, mais surtout fort affligée de mourir. »

C'est vrai qu'il l'avait quittée alors
depuis plus de vingt ans et que peut-être
il ne répugnait pas à donner le change
aux siens, comme en témoigne l'insistance
naïve de Louis, dans ses mémoires, pour

nous persuader qu'il n'y eut rien de coupable dans les relations du poète et de la
comédienne. On reproche à un fils d'em-
bellir l'image de son père, sans songer que
presque toujours c'est le père qui, de son
vivant, a tracé de lui-même le modèle
idéal auquel ses héritiers devront se con-
former. L'instinct de l'homme le plus sin-
cère n'est pas de l'être avec ses enfants ;
et il est remarquable que de notre temps
où les écrivains montrent une telle passion de sincérité et une si forte inclination à exhiber le pire d'eux-mêmes, ils
semblent s'être donné le mot pour ne pas
donner la vie. S'il n'avait abandonné sa
progéniture, Rousseau eût-il osé écrire *les
Confessions?*

Et si André Gide...

Ce fut d'ailleurs la chance de Racine de
laisser un fils bien propre à être dupé
et qui eut la naïveté d'écrire : « De tous
ceux qui ont fréquenté (mon père) dans le
temps qu'il travaillait pour le théâtre,

aucun ne m'a nommé une personne qui
ait eu sur lui le moindre empire... » Comme
si les gens eussent osé rapporter à ce fils
dévot ce qu'ils savaient à ce sujet !

C'est en 1672-73, dans le plein de sa
passion pour la Champmeslé, et alors qu'il
témoigne de si médiocres dispositions pour
la jalousie, que Racine crée la jalouse
Roxane de *Bajazet*. Le clan de Corneille
recommença sur tous les tons l'absurde
reproche touchant ces Turcs qui ne sont
pas de vrais Turcs ; au vrai, aucun drame
romantique atteignit-il jamais à nous
rendre cette atmosphère de sérail lourde,
confinée, étouffante, avec son peuple tremblant et féroce d'esclaves, d'eunuques, de
muets? L'obstination nous frappe des
salons de ce temps-là à n'aborder un
ouvrage que par ses plus petits côtés.
Bien que les critiques fissent rage, il est
remarquable que les préfaces de Racine
deviennent modérées de ton, et laissent

en paix Corneille. Sans doute est-il au
comble de la faveur ; le voici, en 1674,
trésorier de France à Moulins, titre qui
confère l'anoblissement transmissible aux
enfants. Le grand Condé l'adore et les
plus grands seigneurs sont de ses amis :
les Mortemart, Mmes de Thianges et de
Montespan, d'Effiat, le duc de Chevreuse,
Colbert. Pourtant, nous allons voir, au
moment de *Phèdre*, que le succès ne diminue en rien l'irritabilité du poète ; l'apai-
sement qui se fait en lui, vers 1673,
annonce les douces mais passagères in-
fluences que jamais n'a cessé d'épandre
de loin l'Académie française sur ceux qui
en tentent l'approche. Alors les plus fiel-
leux montrent de la suavité, et les plus
vindicatifs remettent leur vengeance au
lendemain du jour où ils occuperont enfin
leur fauteuil. Racine s'assit dans le sien
le 12 janvier 1673, succédant à La Motte
le Vayer. Sa harangue fut si médiocre
qu'elle n'a pas même été conservée ; au

témoignage de Louis Racine, il la pro-
nonça à voix basse et tout le succès de la
journée fut pour Fléchier, reçu à la même
séance.

L'année suivante, le roi exigea pour
Versailles la primeur d'*Iphigénie*. Ce fut
à l'occasion des divertissements qu'il
donna à toute sa Cour, au retour de la
conquête de la Franche-Comté. Félibien
a laissé une relation de la fête et décrit
le théâtre dressé pour *Iphigénie* au bout
de l'allée qui va dans l'orangerie. C'est
un étrange assemblage de grottes rus-
tiques, de candélabres, de grenadiers, de
statues d'or, de fontaines et de tritons.
Que le poète eût encore ses puissantes
griffes, nous le savons par l'épigramme
fameuse dont il accabla l'académicien
Leclerc et Coras qui avaient eu le front
d'écrire eux aussi une *Iphigénie;* première
ébauche de ce qui allait être tenté bientôt,
par la même méthode, mais avec plus de
bonheur, contre *Phèdre*.

Bien que deux années dussent encore
s'écouler avant *Phèdre*, il ne faut pas
croire que Racine ait pu changer durant
ce temps-là au point d'être un autre
homme en 1677 que le mauvais coucheur
qu'il fut toujours, et de rejeter sur ses
ennemis seuls tout l'odieux de la fameuse
dispute. Il est certain qu'à l'instigation
du grand seigneur poète et bel esprit,
Philippe Mancini, duc de Nevers, et de
l'orgueilleuse duchesse de Bouillon, sa
sœur, Mme Deshoulières alla chercher
un jeune poète rouennais, Pradon, auteur
de deux tragédies misérables, pour op-
poser un second Hippolyte à celui de
Racine. Mais enfin c'était recommencer,
à leurs risques et périls, le jeu de *Bérénice*. Quelles raisons avait donc Racine
pour redouter d'être battu? Ceci est indé-
niable; il intrigua auprès de Louis XIV,
s'efforça d'obtenir que défense fût faite
à son obscur rival de faire jouer sa pièce.
Voilà une des actions les plus basses de

Racine. La duchesse de Bouillon et sa
cour de beaux esprits sans doute était
dangereuse. Il reste à Racine la honte d'en
avoir eu peur.

Phèdre qu'on étouffait même avant que de naître,
Par l'ordre de Louis sut se faire connaître,

dit Pradon dans son Épître à Madame la
Dauphine. On lui mit encore bien d'autres
bâtons dans les roues : « Mon lecteur,
a-t-il écrit, ne pourra pas apprendre sans
rire que ces messieurs veulent ôter la
liberté aux auteurs de faire des pièces
de théâtre, aux comédiens de les jouer,
aux libraires de les imprimer, et même au
public d'en juger. »

Cependant Racine réussissait, comme
pour *Bérénice*, à faire passer sa pièce
quelques soirs avant que Pradon pût
donner la sienne. Est-il vrai, comme l'assure Louis, que la duchesse de Bouillon
ait loué les deux salles de l'hôtel de Bourgogne et du Palais-Royal, pour les six

premières représentations, et qu'il lui en
coûta quinze mille livres? Le fait a été
contesté, au moins pour la première. Le
certain est que Valincour vit Racine « au
désespoir » du succès de son rival. L'eût-il
été, s'il ne s'était agi que d'une réussite
obtenue par le stratagème de la duchesse
de Bouillon? Pradon paraît avoir triomphé
tout le mois de janvier 1677. A un sonnet
du duc de Nevers (ou de Mme Deshoulières) contre *Phèdre*, Racine et Boileau,
ou tout au moins les amis de Racine et de
Boileau : le chevalier de Nantouillet,
Fiesque, d'Effiat, Guilleragues et Mani-
camp, répondirent sur les mêmes rimes
par un autre sonnet dont Bussy-Rabutin
assure qu'il n'y eut jamais rien de si
insolent : « Deux auteurs, écrit Bussy au
Père Brûlart, reprochent à un officier de
la Couronne qu'il n'est ni courtisan, ni
guerrier, ni chrétien ; que sa sœur, la
duchesse de Mazarin, est une coureuse,
et qu'il a de l'amour pour elle, quoiqu'il

soit Italien. Et bien que ces injures fussent
des vérités, elles devaient attirer mille
coups d'étrivière à des gens comme ceux-
là... » Si Racine ni Boileau ne furent
bâtonnés, comme le duc de Nevers se
vanta de l'avoir fait, ils le durent à une
protection toute-puissante : « Si vous
n'avez pas fait le sonnet, leur écrivit le
fils du grand Condé, venez à l'hôtel de
Condé, où M. le prince saura bien vous
garantir de ces menaces, puisque vous
êtes innocents ; et si vous l'avez fait, venez
aussi à l'hôtel de Condé, et M. le prince
vous prendra de même sous sa protection, parce que le sonnet est très plaisant
et plein d'esprit. »

C'est trop simple de dire que le dépit
fit tomber la plume des mains de Racine.
Aucun doute qu'en ce mois de janvier 1677
il ait senti passer la défaite ; mais si le
vent n'en eût soufflé que du côté des
Mancini, des Deshoulières et des Pradon,

il était homme à s'irriter certes, à perdre
toute mesure, non à rendre les armes.
Racine, à ce moment-là, heurte du front
un obstacle que nous ne voyons pas
d'abord. Durant les deux années mystérieuses entre *Iphigénie* et *Phèdre*, des événements mal connus ont agi sur cet ambitieux : des événements d'ordre intérieur,
un sourd réveil de cette religion qui, une
fois reçue dans l'enfance, peut ne s'éli-
miner jamais? Ce sera à voir. Des menaces
du dehors? mais lesquelles? Peut-être ce
tacticien, à un tournant périlleux, ne
cède-t-il à la poussée de la Grâce que
parce qu'il s'agit aussi de son salut temporel. Nous commençons à le connaître
un peu, Jean Racine : ceux de sa race
s'agitent encore au milieu de nous; ceux
qui ne se résignent pas à perdre la partie,
qui n'acceptent pas que la vie soit une
partie qu'il faut toujours perdre. Jean
Racine jamais ne consentit à être battu.
A toute extrémité, la religion peut lui

être apparue comme la chance suprême,
comme la carte dernière. Non qu'à trente-
sept ans, il juge raisonnable de mettre
là-dessus tout son enjeu ; l'art de vivre
c'est de ne s'éloigner d'une source que
lorsqu'elle paraît épuisée ; s'il en est une
qui s'épuise peut-être : la poésie dramatique, à laquelle Racine buvait à longs
traits, la religion, du moins, ne semble
jamais tarie ; il en restera toujours cela :
une espérance. Tout est peut-être con-
certé dans la conduite d'un Racine ; ce
qui ne signifie pas que tout soit le fait de
sa volonté libre. Pascal disait des événements qu'ils sont des maîtres que Dieu
nous donne de sa main ; il en est de plus
d'une sorte que nous allons voir fondre
sur Racine, à ce tournant de son destin ;
mais il n'a pas souffert d'en être dominé :
Racine le lucide. Toujours il fut, comme
l'Ulysse de son cher Homère, à la hauteur
des circonstances ; il a su être tout ce
qu'il a voulu.

Il n'empêche que son renoncement à
la poésie est un sacrifice démesuré, la plus
grande exigence de Dieu. Son renoncement
à la poésie? Osons d'abord affirmer qu'il
n'appartient à aucun créateur de décider,
à froid, qu'il ne créera plus. Lorsqu'il
a dit son dernier mot, qu'il a donné tout
son fruit, il peut s'imiter lui-même et,
grâce au métier, continuer de produire :
ainsi fit Corneille. En revanche, aucune
volonté de sacrifice ne peut retenir de
force en lui ce qui déjà y prend vie, et
demande à voir le jour. Que restait-il de
puissance créatrice à Racine au moment
de *Phèdre?* ou du moins quelles ressources
lui réservait encore la Tragédie? Pour y
voir clair, il faut remonter à la naissance
de toute l'œuvre racinienne, la plus *achevée*
qui existe dans notre littérature et qui
atteint dans *Phèdre* son achèvement.

VII

A une société dont les poètes, les auteurs de romans et de tragédies, considé-
raient l'être aimé comme un objet qu'il
faut conquérir, *Andromaque* enseigna qu'il
est inaccessible. Selon le jeu d'amour che-
valeresque et précieux, il n'était guère de
maîtresse qui ne se laissât vaincre de
haute lutte, ni de cruelle qu'on ne pût
à la fin adoucir. Aussi long que fût le
temps d'épreuve, un amant passionné recevait un jour la récompense d'avoir servi
fidèlement sa belle « sous des cheveux
châtains et sous des cheveux gris ». L'im-
puissance sans nom d'Oreste devant Hermione, l'inexistence même d'Hermione
devant Pyrrhus, c'est cela que le monde
n'osait plus regarder en face, qu'il avait

oublié depuis les grands anciens et que
Racine dérobe à Euripide. Racine rompt
avec cette convention d'un jeu d'amour
tendre et charmant où il ne faut jamais
désespérer. Il ne rompt pas d'un coup :
le faux dans les sentiments dépare encore
Alexandre, et il ne cessera d'y avoir, dans
toutes ses tragédies et jusque dans *Phèdre*,
des roucoulements.

Il n'empêche que, dès les premières paroles, nous savons qu'Oreste n'attend rien
d'Hermione, ni Hermione de Pyrrhus,
même lorsqu'ils s'efforcent de se duper.
Dès l'entrée de cet enfer, ils ont perdu
toute espérance. Ce que certains jugent,
dans la tragédie classique, comme le
comble de l'artifice : les « fureurs », les
« imprécations », voilà qui, dans Racine,
paraît le plus humain ; que peuvent
tenter ces malheureux? Rien ne sert de
rien : ni tendresse ni menaces. C'est que
l'être chéri ne nous voit pas, ne nous
entend pas. Il est lui-même orienté vers

un autre ; possédé lui aussi, il appartient
à son soleil, à son aimant. Aucune force
au monde ne peut le détourner de ce qu'il
aime, ni le tourner vers ce dont il est
aimé. Si parfois il jette un regard sur le
cœur qu'il torture, c'est qu'il songe à
s'en servir pour vaincre le cœur par
lequel il est torturé. Sa victime n'existe à
ses yeux que pour désarmer son propre
bourreau ; ainsi Hermione consent à
écouter Oreste ; ainsi Pyrrhus feint de
revenir à Hermione. Trêve illusoire ; eux-
mêmes n'y croient pas ; sauf Pyrrhus
parce que lui seul a une raison de ne pas
désespérer : son Andromaque est, elle
aussi, possédée, mais par un mort. Oreste
n'a aucune réalité pour Hermione, ni
Hermione pour Pyrrhus ; mais Pyrrhus
existe aux yeux d'Andromaque : le dernier des vivants a toujours des chances
de l'emporter sur un souvenir, fût-ce le
souvenir d'Hector ; rien n'entretient les
souvenirs, hors le désir d'une chair vi-

vante. Le temps travaille pour Pyrrhus,
il a l'oubli comme allié. Andromaque
s'aide, il est vrai, de sa vertu, et songe à
sa gloire ; c'est justement l'espèce d'obstacle qu'un grand amour à la fin sur-
monte. Cela seul demeure infranchissable
à la passion : le barrage d'une autre passion, puisque aux yeux de l'objet chéri,
elle nous frustre de la première chose
indispensable : de l'existence. Rien n'est
si beau, dans *Andromaque*, qu'un cri d'Hermione au quatrième acte. Pyrrhus, revenu
pour toujours à sa chère troyenne, tente
auprès d'Hermione une visite de conve-
nance ; le maladroit ne prononce pas une
parole qui n'atteigne en plein le cœur de
sa victime. Il juge habile de prendre à la
lettre ses ironies et feint de croire qu'elle
ne l'a jamais aimé. Hermione éclate alors,
se livre toute à une fureur d'adoration
(« je t'aimais, inconstant, qu'aurais-je fait,
fidèle ! ») Mais soudain, la folle s'interrompt ; elle découvre que Pyrrhus, la

tête un peu détournée, *ne l'écoute même
pas;* l'entend-il seulement? Il est ailleurs,
à mille lieues de cette furie ; alors seulement peut-être saisit-elle que son corps,
que son cœur, que tout ce qui est Hermione
n'existe pas aux yeux du bien-aimé, qu'elle
ne possède à ses yeux aucune réalité :

Vous ne répondez point? perfide, je le voie,
Tu comptes les moments que tu perds avec moi !
Ten cœur, impatient de revoir ta Troyenne,
Ne souffre qu'à regret qu'un autre t'entretienne.
Tu lui parles du cœur, tu la cherches des yeux.
Je ne te retiens plus...

Elle n'attend rien, désormais, du poi-
gnard dont elle arme Oreste, que ceci :
obliger Pyrrhus expirant à penser que
c'est elle, Hermione, qui le tue, le forcer
de croire à l'existence d'Hermione, à la
passion d'Hermione, au moins durant cette
seconde-là.

Racine, qui avait une connaissance habi-
tuelle, quotidienne, du pouvoir absolu, fut

hanté par le néant de cette toute-puis-
sance devant les passions de l'amour. Si
Oreste pour attendrir Hermione, si Hermione pour fléchir Pyrrhus ne possèdent
rien que leur tendresse même, en revanche Néron, Mithridate, Roxane dé-
tiennent le suprême pouvoir et peuvent
dire à ceux qu'ils chérissent : « Aime-moi ou
meurs. » Mais il n'appartient pas à l'être
aimé de choisir de vivre. Bajazet le voudrait, lui qui s'efforce de feindre, qui consent à courber la tête devant l'animale
petite esclave de qui dépend tout son
destin. Il s'abaisse vainement : rien n'est
si lucide que la passion d'une Roxane, ni
moins aveugle que cette fureur. Ceux qui
se laissent prendre à des simagrées, c'est
qu'ils n'aiment guère ; ou ce sont des lâches
que cela repose d'être dupes. Le feu connaît le feu, on ne le trompe pas. Roxane
n'eût-elle découvert le secret d'Atalide et
de Bajazet, n'en aurait pas moins connu
leur trahison, avant même de posséder Ba-

jazet. Nous ne savons pas toujours qu'on
nous aime, mais nous savons presque
toujours que nous ne sommes pas aimés.

Racine, semble-t-il, ne voit profondément la passion qu'arrêtée, que refoulée.
Il n'en prend conscience que comme d'une
vague toujours furieuse, toujours vaincue.
Il n'y sait voir que cette obstination
aveugle, cette immense force inutile qui
se résout en écume. Ses amants heureux
n'existent guère et, n'était l'adorable vers
racinien, nous souffririons mal tant de
fadeur. Racine ignore le frémissement de
Juliette quand Roméo l'approche. Seule
de ses amantes aimées, la reine Bérénice
existe parce que, toute chérie qu'elle soit,
sa passion trouve une résistance et que
Titus la sacrifie à Rome. La seule vivante
des amantes aimées, elle l'est beaucoup
moins, pourtant, que les désespérées, Hermione, Roxane et Phèdre. Pour Junie et
Atalide, elles ne sont palpitantes que de-

vant leurs bourreaux : Néron, Roxane.
Les héroïnes raciniennes prennent corps,
prennent vie, en proportion de l'obstacle
contre lequel leur passion se précipite et
se brise.

Des hommes rêvent de capter la puissance des marées ; ainsi, autour de ces
passions furieuses et vaines, des habiles
rôdent, des politiques, persuadés que ces
forces obscures aideront à leur avancement. Mais tout comme le pouvoir suprême
de Néron ou de Roxane, les profonds calculs de Burrhus, d'Agrippine, de Narcisse,
d'Acomat, sont vaincus par ces lames de
fond qui emportent tout.

Non moins que dans ses « amantes in-
sensées », Jean Racine s'est exprimé dans
ses courtisans et dans ses affranchis, obser-
vateurs glacés des passions de leurs
maîtres. Leur passion, à eux, est de jouer
dangereusement avec le feu, et de se
pousser le plus loin possible en utilisant

les cœurs désordonnés de qui dépendent
leur fortune et leur vie. A quoi sert de
s'aveugler? Racine, certes, ne fut pas que
cela ; mais il fut aussi cela : un homme qui
passe du service de la Montespan à celui
de la Maintenon. Il fut l'écrivain dont
Saint-Simon nous rapporte « qu'il prêta
sa belle plume pour polir les factums de
M. de Luxembourg », et aussi que le roi
et Mme de Maintenon « envoyaient chercher Racine pour les amuser » ; il fut le
courtisan qui, au dire de Spanheim, envoyé de l'électeur de Brandebourg, « com-
plimente avec la foule, blâme et crie dans
le tête-à-tête, s'accommode à toutes les
intrigues dont on veut le mettre. » Directeur de l'Académie française en 1678, il
terminait ainsi un discours : « Tous les
mots de la langue, toutes les syllabes nous
paraissent précieuses, parce que nous les
regardons comme autant d'instruments
qui doivent servir à la gloire de notre
illustre protecteur. » Plus tard, en 1685,

il devait avoir le front d'appeler Louis XIV :
« le plus sage et le plus parfait de tous les
hommes. » Racine qui définit un jour le
monde : « Une grande bête ! On étudie ses
inclinations, on trouve bien ce qu'il trouve
bien, mal ce qu'il trouve mal... » nous con-
cevons qu'il n'ait point cherché seulement
dans les auteurs anciens les maximes
de Narcisse, ni les préceptes d'Acomat.

Acomat et Narcisse sont au dedans de
lui, mais aussi Roxane et Hermione. C'est
en lui que se meuvent les grandes forces
obscures qu'il incarne dans ses princesses
furibondes ; forces toujours pareilles d'une
tragédie à l'autre. N'eut-il pas conscience
de ce piétinement? Sans doute, Racine,
après *Bajazet*, craint de se répéter, cherche
ailleurs : *Mithridate*, le moindre de ses
chefs-d'œuvre, et dont Dangeau nous dit
qu'elle était la comédie qui plaisait le plus
au roi (comme aussi à Charles XII et au
prince Eugène) en dépit de Monime, tire

son intérêt d'une peinture historique à
l'usage des conquérants. *Iphigénie* marque
mieux encore chez son auteur le parti pris
d'étouffer en lui l'éternelle Hermione,
l'éternelle Roxane et de ne plus laisser
passage à leur monotone furie. *Iphigénie*
est une étude parfaite d'après l'antique.
Le poète se détourne de son propre cœur ;
mais comme la Cour et la ville attendent
sa tragédie de chaque année, il copie
Euripide (comme un tel maître sait co-
pier). Le monde ne s'y trompe pas et
déjà les dévots se réjouissent de ce qu'il n'y
a presque point d'amour dans cette pièce.
Un jésuite, Pierre de Villiers, dans son *En-*
tretien sur les tragédies de ce temps, s'exprime
ainsi : « On peut dire que le grand succès
de l'*Iphigénie* a désabusé le public de
l'erreur où il était qu'une tragédie ne pouvait se soutenir sans un violent amour. »

Racine résistera deux années encore à
la femme qu'à plusieurs reprises il a mise

au monde, et qui demande une fois encore
à renaître ; une dernière fois? Et le poète le
pressent-il? Le certain est que sa créature,
qu'il porte plus longtemps que les autres,
se nourrit aussi de lui-même plus que n'ont
fait Hermione et Roxane. Nous ne savons
presque rien de ce que fut sa vie cachée
de 1675 à 1677 ; mais cette *Phèdre* conçue
durant ces années mystérieuses, de quelle
expérience nous apparaît-elle chargée !
Ici, impossible de ne pas nous rappeler le
visage souffrant du portrait de Langres.

Phèdre, cette reine mourante et dont
se dérobent les genoux, si elle appartient
à la même race que les autres amantes
raciniennes, nous révèle dès ses premières
plaintes qu'elle se meut dans un autre
univers : Hermione, Roxane suivaient la
loi de leur sang ; elles ne connaissaient
aucune autre loi que la chair et le sang ;
elles se précipitaient, somnambules, vers
l'objet de leur faim ; elles n'imaginaient
pas qu'elles pussent offenser personne.

Racine communique à Phèdre, durant les
années qu'elle se forme en lui, cette certitude fatale au bonheur humain, que
l'amour charnel est le mal, le mal que
nous ne pouvons pas ne pas commettre.

Pour nous expliquer ce réveil du sang
chrétien de Racine aux abords de la qua-
rantaine, il ne serait besoin d'aucune
raison que ces abords même. Tout autant
que le démon de midi, existe l'ange de
midi. Le jour de ses quarante-deux ans,
Jules Renard écrit dans son journal : « La
mort m'apparaît comme un grand lac dont
j'approche et dont les contours se des-
sinent. » Alors l'homme sent la fatigue
du passé qu'il tire après lui ; alors notre
destinée prend figure ; elle revêt déjà pour
nous son aspect éternel, et nous ne sommes
plus assez aimés pour en être divertis.
Étonnement de ne plus inspirer l'amour
qui, dans la jeunesse, entretenait en nous
cet enivrement léger, propre à nous détourner des pensers sombres. De la Champ-

meslé, il est certain que Racine, vers le temps de *Phèdre*, ne tire plus que de la douleur. Peut-être supporta-t-il moins aisément de n'être pas le seul aimé, quand il s'aperçut qu'il n'était pas le plus aimé. Les amants de cœur ne se résignent jamais à ne plus l'être. Il faudrait toute sa vie avoir été trompé, pour ne point souffrir de reconnaître dans son miroir, un triste matin, la tête repoussante d'Arnolphe. Que ce fût de Troy le peintre ou Clermont-Tonnerre, ce n'était plus Racine que la Champmeslé chérissait. Sur le déclin de leurs amours, nous ne savons rien, sauf ce que nous laisse entrevoir cette anecdote rapportée par Brossette : « La première représentation de la *Phèdre* fut donnée à Versailles devant le roi et Mme de Montespan. La Champmeslé ne voulait point absolument réciter ces vers :

...Je ne suis point de ces femmes hardies
Qui goûtant dans le crime une tranquille paix,
Ont su se faire un front qui ne rougit jamais.

mais M. Racine ne voulut jamais consentir qu'elle les retranchât. Bien des gens
les remarquèrent dans la représentation. »

Nous imaginons aisément le ton d'une
dispute entre les amants sur un tel sujet,
qui est celui qu'une femme perdue de
mœurs ne nous pardonne jamais de toucher à propos d'elle. Racine, surtout s'il
souffrait, ne dut pas lui ménager quelques-
unes de ces railleries mortelles qu'il n'était
pas accoutumé à retenir. Sans doute
avait-il déjà inspiré, sinon écrit, les vers
obscènes qui couraient sur sa maîtresse :

> De six amants contents et non jaloux
> Qui tour à tour servaient madame Claude...

Rien de si propice au réveil des profondes impressions chrétiennes dans un
cœur, que cette salissure d'une liaison
finissante, que ce déclin boueux. Il faut
alors avoir été, dès l'enfance, imperméable
au christianisme, comme fut Stendhal,
pour juger avec lui que la chasteté est une

vertu comique. Racine, en quittant au
petit jour l'hôtel de la rue Visconti où
vivait la Champmeslé, dut, vers ce temps-là,
se souvenir souvent des « anges mortels »,
des vierges de Port-Royal dont, adolescent, le ravissaient les plaintes.

Mais Racine veut que la religion soit
vraie, comme nous voulons que tel remède
guérisse. *Il n'a pas la passion de la connaissance.* Avec Boileau, tous leurs discours tournent autour d'un cas de prosodie ou de l'interprétation d'un texte. Il
ignore l'inquiétude religieuse et retrouve
sa foi parce qu'il en a besoin. Nulle part,
elle n'est mise en question par le poète
qui, jusque dans ses désordres, pressen-
tait que ce refuge lui serait ouvert un
jour et qu'il s'y reposerait d'avoir été
lui-même. Esprit positif, un instinct profond le pousse aux pâturages dont il sait
que l'herbe lui est salutaire.

Qu'avant toute cabale, il fût désireux
de faire la paix avec ses anciens maîtres,

la préface de *Phèdre* en témoigne. Il suffit
de rappeler le passage fameux où après
avoir assuré qu'il n'avait point fait de
tragédie qui mette mieux en honneur la
vertu, et s'être loué de ce que les faiblesses de l'amour y passent pour de
vraies faiblesses, il ajoutait : « Ce serait
peut-être un moyen de réconcilier la tragédie avec quantité de personnes, célèbres
par leur piété et par leur doctrine, qui
l'ont condamnée dans ces derniers temps,
et qui en jugeraient sans doute plus favo-
rablement, si les auteurs songeaient autant
à instruire leurs spectateurs qu'à les divertir... »

Durant ces deux années, nul doute que
Racine enfante *Phèdre* dans une angoisse
où la religion a sa part ; et ce Dieu qui le
tourmente, n'est pas celui des jésuites ni
du roi. Racine faux dévot ? Ce n'est pas
soutenable. Que le roi ait fait beaucoup pour
l'éloigner du théâtre, nous le verrons en

son temps. Mais c'est encore l'époque où il crée lentement sa dernière tragédie profane. L'esprit religieux dont il l'imprègne n'a rien de commun avec celui dont les habiles commencent de faire parade à la Cour. Le Dieu de Saint-Cyran pèse effroyablement sur Phèdre. Si Racine songe à séduire quelqu'un, ce n'est pas Louis XIV, mais le grand Arnauld et tous les saints qu'il a outragés.

Il n'a jamais cessé de croire à ce que Nicole, un jour, lui mit en tête : il est un empoisonneur, il a perdu des âmes ; il en perdra tant que ses ouvrages seront représentés au théâtre. Il est le poète de son siècle, d'un siècle où l'ambition et l'amour ont armé tant d'Orestes et de Roxanes, où le poison de Locuste a fait expirer tant d'esclaves et de princes : « ...*la savante Locuste a redoublé pour moi de soins officieux...* »

Il y a de la terreur dans *Phèdre*. Racine, durant ces deux années, dut avoir peur.

Peut-être se sent-il tenu, tenu par un
Dieu qui se sert contre lui des anciens
complices de ses péchés. Nourri dans la
foi en une providence qui agit sur nous
par des volontés particulières, rien ne lui
arrive qu'il n'y voie le signe de desseins
adorables et terrifiants. Et il lui advint,
en effet, une aventure faite pour impres-
sionner de plus braves. Sans doute avait-il
changé de vie depuis deux années déjà
lorsque, le 21 novembre 1679, devant la
Chambre Ardente, la Voisin l'accuse
d'avoir, onze ans plus tôt, empoisonné sa
maîtresse la Du Parc. Elle affirme que
Racine « ayant épousé secrètement Du
Parc, était jaloux de tout le monde et
particulièrement d'elle, Voisin, dont il
avait beaucoup d'ombrage et qu'il s'en
était défait par poison, à cause de son
extrême jalousie, et que, pendant la maladie de Du Parc, Racine ne partait
point du chevet de son lit, qu'il lui tira
de son doigt un diamant de prix, et avait

aussi détourné les bijoux et principaux
effets de Du Parc, qui en avait pour beaucoup d'argent. »

C'est sans doute l'historiographe du roi,
bien en cour, marié, déjà père de famille,
que vise Louvois dans sa lettre écrite le
11 janvier 1680 au conseiller d'État Bazin
de Bezons : « Vous trouverez ci-joint les
ordres du roi nécessaires pour faire arrêter
la dame Larcher ; ceux pour l'arrêt du
sieur Racine vous seront envoyés aussitôt
que vous le demanderez. » Mais de ce que
la mine n'éclata que deux années plus
tard, on ne saurait conclure que dans le
temps qu'il écrivait *Phèdre*, le poète ignorait tout de cette menace souterraine : de
celle-là, ou d'une autre. Nul auteur ne fit
moins pour se faire pardonner son génie.
Tant de malignité dans le triomphe risque
de coûter cher à ceux qui n'ont pas une
vie toute pure. Racine, sans doute, n'eut
guère de peine à se disculper (d'autant
moins que son accusatrice ne donnait

aucune preuve et que Bazin de Bezons était
son confrère à l'Académie). Mais enfin ce
qui remontait à la surface, du fond de
sa jeunesse effrénée, avait de quoi le
faire pâlir, lui qui avait appris dès l'enfance qu'il n'est point d'acte célé aux
yeux de l'Être infini. Si nous ne sommes
pas toujours coupables de ce dont le
monde nous accuse, d'autres fautes inconnues du monde demeurent un secret entre
Dieu et nous. Racine a-t-il fait avorter la
Du Parc? A-t-il, sans le vouloir, causé la
mort de sa maîtresse? Cela seul est certain : jeune, il avait adoré de vivre dans
un monde interlope, il avait eu partie
liée avec ces êtres qui ne lâchent pas toujours leurs complices du beau monde,
quand ceux-ci les veulent lâcher. « Nos
actes nous suivent. » Ceux du jeune Racine, après dix ans, n'avaient pas fini de
proliférer. Comme alors il dut sentir croître
son amour pour le roi ! Quelle consola-
tion que de se savoir chéri de lui, que de se

blottir dans l'ombre de son trône et de sa
maîtresse et d'embrasser les genoux sacrés ! Le roi ; Dieu.

Ainsi *Phèdre* naît dans ce grand trouble :
de toutes les tragédies de Racine, après
Iphigénie, la plus fidèlement imitée d'Euripide (et de Sénèque), la moins originale
en apparence ; et pourtant la plus « racinienne », celle où Racine livre tout son
secret ; œuvre unique, irremplaçable ; copie qui ne ressemble à rien. Non peut-
être le chef-d'œuvre de Racine, car le
personnage de Phèdre concentre en lui
toute l'humanité de la pièce. Le soleil luit
pour elle seule, contre elle seule. Les autres
humains n'existent pas. Hippolyte même
n'apparaît que dans la fulguration du
désir de Phèdre. Euripide pourtant fournissait à Racine un adolescent chaste,
trop chaste, un enfant qui court les forêts ;
pure et trouble figure où la Cour peut-
être aurait vu des allusions à tels sei-

gneurs qui, à l'exemple de M. de Créqui,
ne tournaient pas vers Diane, hélas, la
ferveur dont ils frustraient le sexe. « Qu'auraient pensé les petits maîtres d'un Hippolyte ennemi de toutes les femmes? écrivait Racine. Quelles mauvaises plaisanteries n'auraient-ils point faites? » Au vrai,
nous sommes bien résignés à ne voir personne, dans la pièce, hors la fille de
Minos. Aricie a raison d'exister, puisque,
sans elle, Phèdre n'eût pas poussé le cri
immortel :

Hippolyte est sensible et ne sent rien pour moi !

La face exténuée de Phèdre attire toute
la lumière : à l'entour, des ombres
s'agitent. Les mots brûlants d'Hippolyte
à Aricie *(Présente je vous fuis, absente je
vous trouve...)* ne semblent pas lui appartenir : il les a dérobés à Phèdre.

Deux protagonistes : Phèdre et Dieu.
Un poète soumet au tribunal de Dieu le
procès de l'amour humain. Ce qui est par-

dessus tout interdit au chrétien, c'est cela
même qui paraît le plus mêlé à son sang ;
cela qui lui vient des morts dont il est
issu ; qui, à la fois, intéresse les régions
basses de son être et usurpe toutes ses
puissances de sacrifice, de dévouement,
de renoncement.

Le miracle de *Phèdre* est d'exprimer, en
quelques centaines de vers, les plus beaux
qu'aucun homme ait jamais conçus, les
deux aspects du même amour qui tourmente les humains. Le plus simple
amour, d'abord ; car en dépit de la fable,
rien de moins criminel que le trouble de
Phèdre ; rien de réel n'y répond à ce mot
affreux d'inceste, puisque le sang de
Phèdre ne coule pas dans les veines d'Hippolyte. Sa passion n'offre aucun caractère d'étrangeté. Ce qu'on appelle aujour-
d'hui un psychiâtre n'y saurait découvrir
quoi que ce soit d'anormal, — sinon
ce penchant d'une femme déjà au déclin
pour un jeune être intact : maternité

du cœur, ardeur folle du sang. Il n'est
pas dans Phèdre que de la frénésie,
mais une faiblesse qui est celle de
tous les cœurs aimants. Sans jamais
ressembler à des monstres, toutes les
femmes ont soupiré, à un moment de
leur vie :

Que de soins m'eût coûtés cette tête charmante...

Ainsi dans le plus ordinaire amour,
Phèdre déjà dénonce une souillure. En
elle, Hermione et Roxane s'éveillent à
l'idée que leur tendresse offense un Être
inconnu.

Mais Racine veut que sa dénonciation
atteigne un autre aspect de la passion
humaine. Si le sang ne lie pas à Hippolyte
la femme de Thésée, il suffit que l'infor-
tunée se croie incestueuse pour l'être en
effet ; en amour, c'est souvent la loi qui
crée le crime. D'ailleurs, l'anecdote ici ne
compte guère ; la malédiction qui pèse
sur cette femme la dépasse et s'appe-

santit sur sa race tout entière : la race
des êtres voués aux erreurs étranges et
tristes.

O haine de Vénus ! O fatale colère !
Dans quels égarements l'amour jeta ma mère !

Ces égarements de Pasiphaé que Phèdre
ose rappeler devant Œnone, nous savons
qu'ils touchent au fond de l'abîme, qu'ils
atteignent le dernier cercle de notre enfer.
Dans Euripide, la nourrice balbutie :
« Pour ce taureau, ô ma fille, est-ce là
ce que tu veux dire... » Si coupable
qu'elle soit, Phèdre n'est qu'un moment
de sa race ; elle le sait, et que dans ces
sortes de passions les hommes accom-
plissent à leur insu les gestes de tel mort
qui les a précédés. Plus cette passion est
monstrueuse, plus aussi sa misérable victime lui appartient comme une proie
inerte et jamais secourue. A peine peut-
elle dérober son mal, quelque temps, aux
yeux des hommes ; jusqu'au jour où cela

même lui est retiré comme à la fille de
Minos :

Ce n'est plus une ardeur dans mes veines cachée...

Nous aimons Phèdre pour ses moments
d'humilité. Elle ne se défend pas ; elle
connaît son opprobre ; l'étale aux pieds
même d'Hippolyte. L'excès de sa misère
nous apparaît surtout lorsque lui ayant
décrit son triste corps qui a langui, qui a
séché dans les feux, dans les larmes, elle
ne peut se retenir de crier à l'être qui est
sa vie (rien de plus déchirant n'est jamais
sorti d'une bouche humaine) :

Il suffit de tes yeux pour t'en persuader,
Si tes yeux un moment pouvaient me regarder.

Prodigieuse lucidité. Où cette nouvelle
Hermione, cette dernière incarnation de
Roxane, a-t-elle appris à se connaître?
Hermione n'erre plus en aveugle dans le
palais de Pyrrhus. Roxane est sortie du
sérail obscur. Sous les traits de Phèdre,

elles entrent en pleine lumière et sou-
tiennent en frémissant la vue du soleil
sacré. « Il faut aller jusqu'à l'horreur
quand on se connaît... » écrit Bossuet au
maréchal de Bellefonds. Phèdre va jusqu'à cette horreur. Elle est fille des dieux,
fille du ciel ; elle le sait, de cette même
science qui était celle de Racine dans le
temps où il l'a mise au monde. Lui aussi,
dès qu'il a commencé de balbutier, ce fut
pour adorer le Père qui est au ciel ; et à
travers tous les désordres où sa jeunesse
l'engagea, il ne perdit point le souvenir
de sa filiation divine. Dans le pire abais-
sement, le chrétien se connaît comme fils
de Dieu.

Mais Phèdre ignore le Dieu qui nous
aime d'un amour infini. Son cœur malade
ne peut se tourner vers ce juge dont elle
n'attend rien qu'un supplice nouveau
propre à châtier son crime. Aucune goutte
de sang n'a été versée pour cette âme.
Elle est de ces misérables que les maîtres

du petit Racine frustrent sereinement du bénéfice de la Rédemption. Ils avaient une pire croyance : ils ne doutaient pas que le Dieu tout-puissant ait voulu aveugler et perdre telles de ses créatures. Leur Divinité rejoignait le *Fatum* : un Destin qui ne serait pas aveugle, terriblement attentif au contraire à la perte des âmes réprouvées dès avant leur naissance.

Phèdre traîne après elle une immense postérité d'êtres qui savent ne pouvoir rien attendre ni espérer, exilés de tout amour, sur une terre déserte, sous un ciel d'airain. Nous retrouvons, à chaque tournant de notre route, sa figure morte, ses lèvres sèches, ses yeux brûlés qui demandent grâce ; tristes corps perclus de honte et dont le seul crime est d'être au monde.

Qui sauverait Phèdre du désespoir? Et soudain elle découvre une raison de s'y précipiter, du même élan qu'Hermione et que Roxane. L'obstacle surgit qu'elle ignorait ; le même contre lequel se sont bri-

sées ses deux furieuses sœurs. Elle se fiait
à la chasteté d'Hippolyte, n'imaginait pas
qu'elle pût avoir une rivale... Ah ! douleur non encore éprouvée !

Phèdre retombe du rang où sa qualité de
fille du ciel l'avait élevée ; elle redevient
cette bête jalouse qui ne souhaite que de
mordre et que de détruire, avant d'être soi-
même anéantie. Encore ce piétinement monotone devant une porte infranchissable.

Sans doute *Phèdre* l'a-t-elle entraîné au
delà de ce qu'aucun de ses émules n'avait
atteint (sauf Corneille dans *Polyeucte*) jusqu'à ces hautes régions de la prédestina-
tion au vice et de la Grâce. Mais si la
fille de Pasiphaé l'incite à entr'ouvrir
les portes sur ces mystères de la sensibilité, où nous nous sommes rués comme
des brutes, Racine, lui, demeure sur le
seuil. Il sait que l'artiste doit ignorer,
oublier ce que l'homme connaît. Nietzsche
a retrouvé le secret de Racine lorsqu'il
assure que la vérité doit être voilée pour

demeurer vérité et qu'il admire les Grecs d'être superficiels par profondeur.

Voici donc la fille de Minos de nouveau confondue avec les autres créatures raciniennes. L'expression d'« amante insensée » dont se servait Hermione pour se peindre, Phèdre en use aussi. Racine recommence Racine. Et il ne saurait en être autrement : le théâtre, et surtout la tragédie classique avec ses règles étroites, est de tous les genres celui où un auteur atteint le plus tôt sa limite et trouve le moins de facilité pour se renouveler.

Racine a atteint, non seulement sa propre limite, mais celle de la tragédie. Il ne laisse après lui de place qu'à des pastiches. Voltaire n'est qu'un pasticheur. Sans doute ce théâtre racinien est à l'image d'une société qui, dès la mort de Racine, menace ruine ; ce genre languit et meurt avec le régime qu'il reflétait. Surtout il n'est plus à la mesure du cœur humain dont les modernes aspirent à con-

naître, non les lois générales traditionnelles,
mais le plus particulier, le plus étrange,
pour en tirer des lois inconnues.

Or, ce qui ne saurait être introduit dans
la tragédie, c'est la durée. Impossible dans
ces cinq actes qui fractionnent une seule
journée et qui évoluent dans un seul
endroit, de montrer à la fois la naissance
de l'amour, ses progrès, ses reculs, ses
reprises, son paroxysme, ses intermittences,
sa diminution et sa mort. La passion n'y
peut être saisie qu'au bord de la catas-
trophe dernière. Impossible surtout de
peindre les personnages aux diverses
époques de leur vie et de les montrer
dans une autre dimension que l'espace.

Il n'a d'ailleurs servi de rien au théâtre
d'être délivré du joug des trois unités.
S'il y a perdu en puissance, en rigueur
et en harmonie, nous ne voyons pas qu'en
revanche il ait bénéficié de l'illusion du
temps ; ou du moins le temps n'inter-
vient-il qu'entre les actes. Les meilleures

pièces modernes donnent souvent l'impression que l'essentiel se joue quand le
rideau est baissé. Tous les efforts pour se
renouveler que tentent les écrivains de
théâtre visent à nous rendre sensible cette
dimension du temps dont Proust était
obsédé et que l'on pourrait croire inex-
primable dans un *spectacle.*

Et sans doute Racine n'a jamais envisagé
ces sortes de difficultés. Il n'imaginait
même pas qu'on pût rien changer aux règles
du jeu où il excellait, pas plus qu'à la cons-
titution du royaume ou qu'aux dogmes de
la vraie religion. Mais ce qu'il a vivement
senti, c'est le retour des mêmes effets d'une
tragédie à l'autre ; et sans doute, dans les
dispositions de cœur où il se trouvait alors,
inclinait-il à en rendre responsable cette
passion, l'unique sujet de ses pièces, et se
persuadait-il déjà qu'il y aurait de quoi
se donner carrière dans un drame dont
l'amour serait exclu. Mais cela demeurait
vague encore dans son esprit ; car lui qui

avait fait front avec une si joyeuse
méchanceté dans toutes les cabales qu'il
avait subies, montre au moment de *Phèdre*
qu'il se sent touché, jusqu'à abandonner le
champ de bataille. Savait-il qu'après cette
œuvre, dont il connaissait l'unique beauté,
il n'y avait plus pour lui de route et qu'il
ne lui restait plus qu'à revenir sur ses pas?
Le certain est que, de même qu'après
Bajazet il avait génialement et patiemment
copié l'*Iphigénie* d'Euripide, il s'appliquait
déjà, après *Phèdre*, à des copies d'après le
modèle antique : une *Iphigénie en Tauride*,
une *Alceste*. (Et ce n'est pas très sûr qu'il
ait eu grand mérite à les jeter au feu.)

Pourtant les angoisses cachées de sa vie,
ses frayeurs, ses remords, bien loin d'amoin-
drir, dans un artiste, sa puissance pour
créer, devrait, au contraire, l'exciter et la
nourrir. Racine s'interrompt d'écrire en
pleine crise, à l'heure où d'autres souhaitent
le plus vivement de se délivrer par une
œuvre. Sans doute est-ce là une idée de

moderne, que Racine aurait eu quelque
peine à concevoir, mais les lois de la
création sont de tous les temps ; l'instinct
créateur nous pousse à mettre en lumière,
à fixer le plus obscur, le plus trouble de
nous-mêmes. Ici encore, la perfection de
son art oblige Racine au silence. La tragédie racinienne est d'abord netteté et
clarté. Elle ne saurait prétendre à exprimer
ce qui, dans l'homme, relève des genres lit-
téraires les moins purs. La limpide, la lumi-
neuse tragédie fait son choix dans le cœur
humain ; elle élimine telle passion, isole
telle autre ; il lui faut des contours nets ;
elle répugne à cette confusion, à ces remous,
dont nous faisons aujourd'hui nos délices.
Non seulement le Racine troublé de 1677
n'a pu même songer à son art comme à une
aide et à un soulagement, mais il a peut-
être craint que cet état de trouble intérieur nuise à son ouvrage : il ne s'est plus
cru capable d'atteindre à la transparence,
à la simple ordonnance des Grecs.

Peut-être, enfin, Racine s'était-il juré,
un jour, au sortir d'une représentation
d'*Attila* ou d'*Agésilas* : « Moi, avant qu'il
soit trop tard, je saurai me taire. » Il se
souvient, aujourd'hui, de Corneille, de
cette vieillesse humiliée. Dans sa jeunesse
l'instinct du créateur, cette nécessité inté-
rieure d'accomplir son ouvrage, s'était unie
en lui avec la passion d'aimer et de posséder ce qu'il aimait, non seulement pour
tenir tête aux supplications et aux menaces de sa famille et de ses anciens
maîtres, mais encore pour les accabler de
ses moqueries. Dès que cette double concupiscence sous les coups redoublés du
destin, s'affaiblit en lui, la Grâce de nouveau y pénètre. Impuissante contre une
œuvre à faire, elle triomphe aujourd'hui
que la création semble achevée. L'œuvre
existe à jamais, toute belle, indestruc-
tible, même si son créateur la renie. Il
peut maintenant vaquer à son salut.

VIII

A certaines heures de notre vie, tout en nous, et même le meilleur, se ligue contre Dieu. A d'autres moments, au contraire, Il se sert de notre misère pour nous attirer dans ses voies. Ce Racine de 1677 est encore bien éloigné de la sainteté. C'est peu de dire qu'il n'a pas renoncé au monde. Jamais ce joueur, sentant sa partie compromise, n'a plus ardemment désiré de la rétablir. Et là où son coup d'œil apparaît admirable, c'est lorsqu'il comprend que sa meilleure carte aux yeux de tous : le théâtre, est justement celle qui ne vaut plus rien et qu'il importe de détruire. Cela n'est pas si extraordinaire qu'il y paraît d'abord : un auteur a souvent conscience d'être débarrassé de tout ce

qu'il avait à dire ; il est souvent le premier à se sentir fini. Mais il faut vivre, et
le métier survit au talent. Un roi de
France dirait aujourd'hui à tel ou tel :
« Laissez là votre roman annuel, je vous
nomme gentilhomme de ma chambre et
vous ne ferez plus rien que de raconter
mes exploits... » Ah ! qu'il quitterait de
bon cœur son écritoire ! Surtout si sa
jeunesse ne fut pas toute pure, si d'inquié-
tantes figures rôdent autour de lui, s'il a
le sentiment que le sol est miné sous ses
pas.

Il est singulier que la Providence qui
avait voulu que les traits de Jean Racine
rappelassent l'auguste visage du roi son
maître, ait réveillé presque en même temps
dans leurs deux cœurs la crainte salutaire du jugement. Et s'il est vrai, comme
le rappelle Pascal à la reine de Suède,
que le pouvoir des princes sur leurs
sujets est analogue à celui des esprits
sur les esprits qui leur sont inférieurs, il

apparaît que Louis XIV et que Jean
Racine éprouvèrent à ce tournant de
l'âge où ils étaient parvenus, le même
remords à l'égard de tant de personnes
subalternes qu'ils avaient scandalisées
et peut-être engagées dans le liberti-
nage.

Sans doute le Dieu de Jansénius, le seul
que Racine connût, n'avait point les faveurs du maître. Ce n'est pas assez de
dire qu'il faut tenir compte au poète de
s'être jeté aux genoux d'Arnauld. Tout le
monde, il est vrai, ne l'en admira pas.
L'envoyé de l'électeur de Brandebourg,
Spanheim, écrit à ce sujet : « L'intrigue
de la dévotion domine chez lui ; il tâche
toujours de tenir à ceux qui en sont le
chef. Le jansénisme en France n'est plus
à la mode ; mais pour paraître plus honnête homme et pour passer pour spirituel (Racine), n'est pas fâché qu'on le
croie janséniste... »

Le Brandebourgeois, ici, calomnie, et

il calomnie bêtement. Le culte d'adoration que Racine voue à Louis XIV n'est
limité par rien, sauf par Port-Royal. Sur
ce point-là seulement, et non pas une fois
mais à chaque instant, et jusqu'à la fin,
il tient tête, il se compromet. Cette rage
de sa jeunesse contre ses anciens maîtres,
nous voyons bien maintenant que c'était
du dépit amoureux. Dieu n'a pas reconquis
encore tout le cœur de Racine, que Port-
Royal y est déjà rentré en maître. Durant
ces quinze années, la tante Sainte-Thècle
n'a pas désespéré de tirer sur la berge
cette proie illustre. La voici maintenant
dans sa nasse. Racine fit d'abord sa paix
avec Nicole. Pour M. Arnauld « qui avait
toujours sur le cœur les plaisanteries
écrites sur la Mère Angélique, sa sœur », ce
fut Boileau qui se chargea de la négocia-
tion et il prit prétexte de *Phèdre* pour lui
amener l'auteur de la tragédie : « Ils
vinrent chez M. Arnauld le lendemain,
raconte Louis Racine, et quoiqu'il fût

encore en nombreuse compagnie, le coupable, entrant avec l'humilité et la confusion peinte sur le visage, se jeta à ses pieds : « M. Arnauld se jeta aux siens ; tous deux s'embrassèrent. »

Désormais la tante Sainte-Thècle, Arnauld, Nicole, ne laissent plus de répit à Racine, et il les sert en tremblant, mais il les sert. C'est par lui que la communauté obtient de M. de Noailles, archevêque de Paris, le directeur qu'elle désire. Se compromet-il devant le roi? Fénelon assure qu'il disait tout haut chez Mme de Maintenon qu'il allait souvent à Port-Royal. Il y fera des retraites et sa petite famille y suivra dévotement la procession. Jean-Baptiste Racine parle de la *passion* de son père pour M. Arnauld. On le vit parmi ceux qui, à la mort de l'exilé, osèrent accompagner son cœur, rapporté à Port-Royal. Il fréquentait chez Nicole avec tous les amis de la secte, au risque d'être accusé de ce crime que le roi appe-

lait « le ralliement ». Il le fut, en effet, et
en mourut peut-être.

Mais ce courtisan, ce dévot dont Port-
Royal et le roi se disputeront le cœur et
qui périra de ce déchirement, l'année de
Phèdre, il n'en souffre pas encore ; à ce
déclin de la jeunesse et de l'amour, menacé de partout, dans son métier, dans
son génie, peut-être dans son honneur et
dans sa sécurité, il accepte tous les secours,
d'où qu'ils viennent : Dieu et le monde,
Louis XIV et le grand Arnauld, Montespan et Sainte-Thècle, il saura plus tard
accorder dans son cœur ces puissances
ennemies. Il s'agit bien de cela ! Qu'est-ce
donc qui le presse tant ?

La chute de *Phèdre* est du début de
février 1677 ; Racine se marie dès le
1er juin ; entre ces deux dates, il trouve
encore le temps de songer à se faire chartreux. Mariage non bâclé, pourtant, et
où rien n'est laissé au hasard. Mariage

de raison qui ne pèche que par excès de raison. D'autres hommes de lettres ont contracté des unions d'arrangement ; mais aucun, sauf Racine, n'est allé jusqu'à découvrir une femme qui ait à peine entendu parler des ouvrages de son prétendu et qui croie que c'est compromettre son salut que de les voir au théâtre. Telle était Catherine de Romanet dont Jean Racine devint l'époux en l'église Saint-Séverin, le 1er juin 1677. Les Vitart lui avaient procuré cette jeune personne, fille d'un maire de Montdidier, ancien trésorier de France en la généralité d'Amiens, nièce de l'avocat général le Mazier. Tout ici est réuni pour le bon arrangement de la vie : Catherine de Romanet a de la fortune et n'a plus de parents. Orpheline et riche, féconde aussi : on l'allait bien voir. Louis nous assure qu'elle porta « l'indifférence pour la poésie jusqu'à ignorer toute sa vie ce que c'est qu'un vers ; et m'ayant entendu parler, il y a quelques années, de rimes masculines et féminines, elle m'en demanda la différence : à quoi je répondis qu'elle avait vécu avec un meilleur maître que moi. Elle ne connut ni par les représentations, ni par la lecture, les tragédies auxquelles elle devait s'intéresser ; elle en apprit seulement les titres par la conversation. »

A ce tournant de son destin, Racine donne le coup de barre avec une si puissante et constante volonté, que lorsque nous le voyons consentir au caprice de Mmes de Montespan et de Thianges, et rimer un opéra sur le sujet de *Phaéton*, au lieu de crier au Tartufe comme on a beaucoup fait, mieux vaudrait sans doute chercher les raisons d'une telle discordance. Ses moindres gestes apparaissent alors trop prémédités pour qu'il ait consenti, sans de profonds motifs, à marcher ainsi sur les brisées de Quinault, à l'heure où il fuyait tout ce qui sentait le théâtre

et s'efforçait à rétablir sa vie sur des
fondements plus sûrs. Le service du roi
lui fournissait toutes les raisons de ne
pas contenter une favorite dont la faveur déclinait ; et nous savons qu'il ne
lui obéit qu'en rechignant, comme en témoigne Boileau dans un avertissement au
lecteur : « Comme M. Racine n'entrepre-
nait cet ouvrage qu'à regret, il résolut
qu'il ne l'achèverait point que je n'y
travaillasse avec lui. » Et il ajoute que
si l'on n'a pas trouvé, à la mort de Racine,
les quelques vers qu'il avait déjà écrits
de cet opéra, c'est que vraisemblable-
ment il les avait supprimés « par délicatesse de conscience, à cause qu'il y était
parlé d'amour ».

Serait-il téméraire d'attribuer une raison
cachée à cette inconséquence du poète
repenti? Voici qui est remarquable : Entre
novembre 1679 et janvier 1680, Racine
accepte la besogne de *Phaéton*. C'est aussi
l'époque de la Chambre Ardente ; et préci-

sément le 11 janvier 1680, Louvois écrit à Bazin de Bezons que les ordres du roi pour l'arrêt du sieur Racine lui seront envoyés aussitôt qu'il le demandera. Comment Racine ne se garderait-il alors de s'attirer aucune inimitié? Il s'agit pour lui de ne déplaire à quiconque le peut servir ou lui peut nuire. Et de fait, il consent, vers la même époque, à traduire le *Banquet* de Platon pour l'abbesse de Fontevrault (qu'en eût pensé Sainte-Thècle, abbesse de Port-Royal?). Il s'humilie jusqu'à rimer des madrigaux comme préface aux *œuvres diverses d'un auteur de sept ans*, qui était le duc du Maine. Or il n'apparaît pas que le péril enfin conjuré, Racine, aussi courtisan qu'il s'efforce de paraître, ait une seule autre fois prêté la main à ces sortes de niaiseries.

Mais la peur qui l'entraîne à ces complaisances, du moins le rapproche-t-elle plus sûrement de Dieu. Nous ne doutons

pas que ce fût vers ce temps-là qu'il écrivit
une Ode tirée du psaume XVII (elle est
en tout cas bien antérieure aux *Cantiques
spirituels*). On imagine assez le sens que
prenait pour le « sieur Racine » des strophes
comme celles-ci :

> Déjà dans mon âme éperdue
> La mort répandant ses terreurs,
> Présentait partout à ma vue
> Et ses tourments et ses horreurs :
> *Ma perte était inévitable;*
> J'invoquai ton nom redoutable,
> Et tu fus sensible à mes cris :
> *Tu vis leurs trames sacrilèges,*
> *Et ta pitié rompit le piège*
> *Où leurs complots m'avaient surpris.*

Et plus loin :

> *Malgré le siècle et ses maximes,*
> *Tu vis mon cœur exempt de crimes...*

Et encore :

> Tu mets un terme à ta justice,
> Et ton courroux s'est apaisé :
> *Ta main m'enlève au précipice*
> *Que les méchants m'avaient creusé.*

M. Mesnard s'étonne que le manuscrit
de cette Ode, de la main même du grand
Racine, se soit trouvé dans les papiers de
Louis, et que pourtant celui-ci ne l'ait pas
publié et qu'il n'en ait même jamais
parlé comme d'un ouvrage de son père.
Ne serait-ce pas qu'elle se rattachait à
une époque affreuse, qu'elle faisait allusion à des événements sur lesquels les
enfants et les amis du poète souhaitaient
que règne le plus profond silence?

Désormais Racine se fortifie dans la
dévotion. Peut-être en a-t-il d'abord ac-
compli surtout les gestes; ce n'est pas
hypocrisie que d'incliner « l'automate »,
comme le veut Pascal. Il dépendait de
lui de prendre une attitude pieuse, et
ainsi qu'il arrive, la piété fut en lui le
fruit de l'agenouillement. Beaucoup qui
cherchent Dieu répondent à ceux qui les
pressent de solliciter la Grâce que pouvoir
prier, ce serait être déjà converti; et ils
désespèrent d'échapper à ce cercle : néces-

sité de prier pour obtenir la foi, nécessité
de croire pour prier. Jean Racine, cédant
d'ailleurs à des considérations qui n'étaient
pas toutes surnaturelles, a su rompre ce
nœud, et creuser d'avance, dans sa vie,
les canaux où la Grâce d'elle-même afflue,
dès que nous avons consenti à les lui
ouvrir. Il sut donner tous les signes de la
ferveur avant d'être fervent.

IX

Jean Racine persévère dans la piété ;
le foyer qu'il fonde fait mentir Pascal
écrivant à sa sœur Périer que le mariage
est la plus basse des conditions du christianisme, vile et préjudiciable selon Dieu.
Les plaisirs que lui procure, peut-être, le
commerce de Catherine de Romanet, il
les rachète par l'excès même de sa dévotion. Leurs enfants, on ne saurait dire
qu'ils les mettent au monde ; ils les mettent
au ciel, à la lettre, dès leur naissance.
Rien ne compte que le salut. Que fussent
devenues ses filles, Marie-Catherine, Nanette, Babet, Fanchon et Madelon, si
elles n'eussent été à cette école? Quatre
devinrent religieuses ou demeurèrent filles,
et si l'aînée consentit enfin au mariage

ce ne fut qu'après être passée par le
Carmel et par Port-Royal. Des deux garçons, Jean-Baptiste et Louis, si l'aîné
paraît s'être un peu — très peu — débattu contre la direction paternelle, il ne
résista guère longtemps à cette sainte
volonté de fer que secondait merveilleu-
sement leur mère comme il apparaît dans
ce que Racine mandait à Jean-Baptiste,
le 10 mars 1698 : « Votre mère se porte
bien. Madelon et Lionval (Louis) sont un
peu incommodés, et je ne sais s'il ne
faudra point leur faire rompre carême.
J'en étais assez d'avis, mais votre mère
croit que cela n'est pas nécessaire. »
Madelon comptait alors dix ans, et Louis
un peu plus de cinq ans ; ce qui donne à
penser que Mme Racine, qui n'avait sans
doute pas lu saint Augustin, n'en adhérait
pas moins très fortement à la doctrine
de ce docteur touchant les crimes que
nous commettons dès l'âge le plus tendre,
et à vrai dire dès que nous commençons

à prendre le sein. Il est admirable de
penser que les idées de Freud sur la per-
versité sexuelle des nourrissons, et dont
notre siècle se scandalise, n'eussent peut-
être point étonné les bonnes gens de Port-
Royal : « Lionval est toujours incommodé
d'un dévoiement, écrivait, un autre jour,
Mme Racine à Jean-Baptiste. Le pauvre
petit vous fait bien ses compliments, et
promet bien qu'il n'ira pas à la comédie
comme vous, de peur d'être damné. »
Telle était l'idée que se faisait du théâtre,
dès l'âge de cinq ans, le dernier-né du
grand Racine. A vrai dire, Nanette entra
aux Ursulines de Melun, et Babet dans
l'ordre de Fontevrault, au couvent des
dames de Variville, en toute simplicité et
joie ; Jeanne-Nicole-Françoise mourut à
l'abbaye de Malnoue et Madelon, elle
aussi, resta fille. Mais le drame d'une telle
éducation apparaît dans l'aînée, Marie-
Catherine, qui mit beaucoup de temps à
comprendre que les exigences de sa nature

n'étaient point de celles qui se satisfont chez les carmélites du faubourg Saint-Jacques, ni à Port-Royal. Cette nature de feu la rendait plus chère à Racine qu'aucun de ses autres enfants, mais il la jugeait un peu extravagante. Son extravagance consistait à croire qu'il fallait coûte que coûte tourner vers Dieu une ardeur dont l'innocente s'obstinait à ne point connaître l'objet. Elle consentit enfin à vivre sous le toit paternel. « Il m'apparut que votre sœur aînée reprenait assez volontiers les petits ajustements auxquels elle avait si fièrement renoncé, écrit Racine le 16 juin 1698, et j'ai lieu de croire que sa vocation de religion pourrait bien s'en aller avec celle que vous aviez eue autrefois pour être chartreux. Je n'en suis point du tout surpris, connaissant l'inconstance des jeunes gens et le peu de fond qu'il y a à faire sur leurs résolutions, surtout quand elles sont si violentes. »

Enfin M. Colin de Morambert, seigneur de Riberpré, avocat au Parlement, qu'elle épousa le 16 janvier 1699, rendit la paix à Marie-Catherine. Son entrée en ménage ne différa pas beaucoup d'une entrée en religion, comme on le voit dans cette lettre de M. Villard, ami de la famille Racine, à M. de Préfontaine : « ...Tout finit donc le soir des noces par une courte et pathétique exhortation de M. de Saint-Séverin sur la bénédiction du lit nuptial qu'il fit. M. et Mme Racine se retirèrent à huit heures et demie. Les jeunes gens firent la lecture de piété ordinaire à la prière du soir avec la famille. Le père, comme pasteur domestique, répéta la substance de l'instruction de M. le curé ; et tout était en repos comme de coutume avant onze heures. »

Par les lettres qu'il adressa à Jean-Baptiste, son fils aîné, il n'est pas malaisé de voir comment Racine, à la fin de sa vie, concevait l'éducation. Il n'apparaît

à aucun moment gêné par le souvenir de
sa propre jeunesse. Il ne songe point du
tout à ce que peut découvrir d'attachant
un jeune homme qui médite sur la destinée de son père, dans une vie qui, com-
mençant par l'amour et par la gloire,
s'achève dans une dévotion exacte, mais
où l'ambition trouve son compte. Et s'il
est évident qu'en rhétorique, Jean-Baptiste ne soupçonne pas les désordres dans
lesquels son illustre père avait longtemps
vécu, le jeune homme, du moins, n'ignorait rien des triomphes qu'il avait rem-
portés au théâtre. Aussi devait-il être fort
étonné de recevoir des semonces comme
celle-ci : « Il me paraît, par votre lettre,
que vous portez un peu d'envie à Mlle de
la Chapelle de ce qu'elle a lu plus de comédies et plus de romans que vous. Je vous
dirai, avec la sincérité avec laquelle je suis
obligé de vous parler, que j'ai un extrême
chagrin que vous fassiez tant de cas de
toutes ces niaiseries... »

Un bon éducateur doit d'abord perdre
la mémoire. Racine écrivait sereinement
à son fils ces sortes de lettres qui le met-
taient lui-même en fureur, quand il avait
le même âge. Il ne se demandait pas si de
si pieuses exhortations n'éveillaient pas
dans l'adolescent des sentiments con-
traires, pareils à ceux qui, trente-cinq
ans plus tôt, lui faisaient ronger son
frein, à Uzès, et qui le poussèrent aux
dernières insolences envers M. Nicole, ce
Nicole, aujourd'hui, près de mourir, auquel il envoie des remèdes, et dont il ne
craint pas d'écrire à son fils que « c'est
un des meilleurs amis qu'il ait au monde ».

Mais sans doute avait-il raison de compter
sur le prestige que lui avaient valu aux
yeux de son fils aîné, ces *niaiseries* dont
il affecte de faire si peu de cas. Jean-Baptiste se laissait pétrir par ces douces et
puissantes mains. Pourtant, tout jeune
qu'il était, ne jugeait-il pas que les raisons
qu'alléguait son père, pour l'éloigner des

romans et des comédies, avaient certes
moins de poids que celles dont s'était
servi autrefois Nicole, et qui avaient mis
hors de lui le bouillant auteur de
l'*Alexandre*? « Croyez-moi, écrivait Racine, quand vous saurez parler de comédies et de romans, vous n'en serez guère
plus avancé pour le monde, et ce ne sera
pas par cet endroit-là que vous serez le
plus estimé. »

S'il ne s'agissait que de l'estime du
monde, Jean-Baptiste eût pu répondre
qu'à son âge ce n'était point par une trop
rigoureuse dévotion qu'il avait chance de
l'acquérir. Mais le plus curieux est l'endroit où Racine mande à son fils « qu'il n'a
d'autre dessein que de le mettre en état
de ne lui point faire déshonneur quand il
viendra à paraître dans le monde. » En
juin 1695, il insiste : « Vous savez ce que
je vous ai dit des opéras et des comédies
qu'on dit que l'on doit jouer à Marly. Il
est très important pour vous et *pour moi-*

même qu'on ne vous y voie point, d'autant plus que vous êtes présentement à
Versailles pour y faire vos exercices, et
non point pour assister à toutes ces sortes
de divertissements. Le roi et toute la cour
savent le scrupule que je me fais d'y aller,
et auraient très méchante opinion de vous
si, à l'âge que vous avez, vous aviez si peu
d'égards pour moi et pour mes sentiments. »

Il n'est point douteux que le jeune
homme respectueux, mais agacé, dut répondre qu'il cédait à cette dernière raison
seulement et pour ne point nuire à la
situation de son père, car celui-ci lui
répond sur un ton piqué : « Je vous sais
un très bon gré des égards que vous avez
pour moi au sujet des opéras et des comédies ; mais vous voulez bien que je vous
dise que ma joie serait complète si le bon
Dieu entrait un peu dans vos considérations. Je sais bien que vous ne seriez
pas déshonoré devant les hommes en y
allant, mais ne comptez-vous pour rien

de vous déshonorer devant Dieu? » Et
cette énorme naïveté : « Pensez-vous vous-
même que les hommes ne trouvassent
pas étrange de vous voir, à votre âge,
pratiquer des maximes si différentes des
miennes? » Jamais barbon n'oublia avec
plus de candeur qu'il avait eu d'autres
goûts à vingt ans.

Cette terreur du théâtre dénonce l'emprise du jansénisme sur Racine vieillis-
sant. Il s'est débattu longtemps contre
l'accusation de Nicole, mais il reconnaît
maintenant qu'il mérite d'être appelé *un
empoisonneur public*. Le poison ! Qui sait
si Hermione, si Roxane n'ont pas incité
des amoureuses vivantes à monter l'esca-
lier de la Voisin? Le théâtre peint les
mœurs d'une époque, mais les mœurs ne
s'inspirent-elles aussi du théâtre? Cette
hantise des âmes perdues par lui et de
celles qui se perdraient encore lorsqu'il ne
serait plus du monde, possède Racine
comme tout auteur catholique. Poison

non moins efficace que celui que ses détracteurs l'accusaient de répandre, et qui
aurait suffi à le détacher du théâtre, même
s'il n'avait obéi à des raisons plus humaines.
Chez Racine, la foi et l'ambition com-
mandent souvent la même attitude. La
peur de Dieu et le goût du monde lui
donnent les mêmes inspirations.

Cela le préoccupe par-dessus tout : que
Jean-Baptiste fasse son salut et qu'il ne
fasse rien qui puisse nuire à son père. On
le vit bien dès que l'honnête garçon entra
dans la carrière diplomatique. Chargé par
M. de Torcy de porter des dépêches à
M. de Bonrepaus, ambassadeur de France
à La Haye, Jean-Baptiste s'arrêta plusieurs fois en route, à la grande fureur de
Racine qui retrouva soudain toute sa méchanceté d'antan : « J'avais été fort en
peine les premiers jours de votre voyage,
dans la peur où j'étais que, par trop
d'envie d'aller vite, il ne vous fût arrivé
quelque accident ; mais quand j'appris

par votre lettre de Mons que vous n'étiez parti qu'à neuf heures de Cambrai et que vous tiriez vanité d'avoir fait une si grande journée *je vis bien qu'il fallait se reposer sur vous de la conservation de votre personne.* » Ce dernier trait est sanglant ; et toute la raison de cette fureur la voici ingénument confessée en deux petites lignes : « Pour moi, je vous avoue que j'appréhende de retourner à la Cour, et surtout de paraître devant M. de Torcy. » Et il insiste dans une autre lettre : « Je crains toujours de paraître devant M. de Torcy, de peur qu'il ne me fasse des plaisanteries sur la lenteur de votre course. »

Ce n'est point que Racine ne s'intéresse, du fond du cœur, et plus qu'à tout le reste, au salut de son fils. Dès l'approche de Pâques, il rappelle au jeune diplomate ses devoirs. Jean-Baptiste est à La Haye, dans un pays où l'on est fort dissipé par les divertissements et par les affaires. « Mais on m'a dit mille biens de plusieurs

ecclésiastiques très vertueux qui sont en
Hollande... Si vous aviez envie d'en connaître quelqu'un... » Ainsi Racine se
mêle-t-il activement de tout ce qui con-
cerne la vie spirituelle de Jean-Baptiste.
Tout cela d'ailleurs n'a rien qui doive
étonner dans un temps où un père pouvait
écrire comme la chose la plus simple du
monde : « J'ai pensé vous marier vous-
même sans que vous en sussiez rien, il s'en
est peu fallu que la chose n'ait été engagée... »

Racine n'était point de ces poètes qui
ont horreur de la vie la plus quotidienne.
Il est père de famille et bourgeois, sans
ostentation ni gêne. Il entre dans les détails bas, s'inquiète des habits que Jean-
Baptiste laisse gâter, s'informe de ses
dépenses jusqu'au dernier sol. Il parle
volontiers de ses purges et de toutes celles
qu'on administre à la petite famille. Ce
n'est en rien un « monsieur du Sublime ».
Avec cela, bon parent, toujours occupé

à servir sa sœur demeurée à la Ferté-
Milon avec son mari, M. Rivière. Il se
souvient, dans son testament, de sa vieille
nourrice, de ses parents pauvres. Il demeure de plain-pied avec tout ce monde
provincial et n'a rien du bourgeois gentilhomme : sans doute vit-il trop près du
soleil et de ses grands satellites pour
nourrir aucune illusion touchant son propre
néant. Il ne tarit pas sur ses enfants :
« Votre mère mena hier à la foire toute
la petite famille. Le petit Lionval eut
belle peur de l'éléphant et fit des cris
effroyables quand il le vit qui mettait sa
trompe dans la poche du laquais qui le
tenait par la main. Les petites filles ont
été plus hardies et sont revenues char-
gées de poupées dont elles sont charmées... »
Il faut se marier tard, comme a fait Jean
Racine, pour savoir se reposer, s'endormir
au plus épais d'une famille et attendre la
mort dans cette « dernière auberge ».

X

Racine aimait le roi. Pourquoi tant de critiques se sont-ils, à ce propos, voilé la face? Nous parlons de cet amour du roi comme des couleurs et des formes un aveugle-né. Nous avons perdu ce sens, ou plutôt nous l'avons transposé. C'est un plus grand miracle d'être ému par une étoffe tricolore que de l'être par une créature de chair et de sang en qui s'incarne la France, né de ceux qui ont fait la France, et dont les enfants s'appellent fils de France. Jean Racine n'eût pas ressenti plus de surprise, si quelqu'un lui avait prédit le scandale où nous jette son attachement passionné à la personne du roi, que n'en éprouveraient les catholiques français d'aujourd'hui à voir leur

patriotisme taxé d'hérésie. A peine aurait-
il compris qu'un théologien pût incriminer
l'assurance qu'il donne dans sa lettre
à Mme de Maintenon : « Dieu m'a fait
la grâce de ne rougir jamais du roi ni
de l'Évangile. » Le roi avant l'Évangile !
Sur ce point-là seulement, cet enfant de
Port-Royal aurait peut-être convenu qu'il
avait péché contre la primauté du spirituel.

Que la disgrâce royale ait hâté la mort
de Racine, il faut, pour n'en être point
surpris, mesurer le degré de faveur où il
était parvenu au moment de *Phèdre*, où
il sut se maintenir durant vingt années, et
d'où il fut à la fin précipité. Tel était son
bonheur : être aimé de son idole, être re-
cherché par le roi des rois à toute heure
du jour et de la nuit ; détenir presque
seul le droit d'entrer librement au lever
de Sa Majesté (au point de scandaliser
l'huissier de la Chambre ; et il le faisait si
bien sentir à Racine que celui-ci se réjouit

fort en apprenant que cet homme avait
été embastillé pour crime de quiétisme !).

Le roi avait la bonté de faire coucher
Racine dans sa chambre quand il avait
des insomnies. Ce n'était point qu'il man-
quât de lecteurs à gages, mais Racine
était un lecteur incomparable. A Auteuil,
chez Boileau, Valincour l'entendit, un
soir, lire l'*Œdipe* de Sophocle, à livre
ouvert, avec une telle véhémence que
toute l'assistance haletait, et un jour qu'il
déclamait pour lui seul, aux Tuileries, les
vers de *Mithridate*, des ouvriers le crurent
fou, « prêt à se jeter dans un bassin... »
De la part de Louis XIV, il apparaît
moins étonnant d'arracher au sommeil le
plus grand poète français pour se distraire
à l'entendre lire, que de lui ordonner de ne
plus écrire désormais de vers et de se
muer en historien. Rien ne témoigne mieux
du sentiment que Louis XIV avait de sa
grandeur, et le plus surprenant est que

personne à la Cour, ni à la ville, n'en ait
montré la moindre surprise.

Le poète et Boileau durent surtout à
l'insistance de Mme de Montespan le dan-
gereux honneur d'être promus au rang
d'historiographes, en ce mois de février 1677 où peut-être tant de raisons
secrètes et publiques décidèrent Racine
à sauver sa mise par un coup inattendu.
Non, aucun scandale, mais seulement beaucoup de jalousies et de railleries. Les gens
d'épée n'aimaient guère, en ce temps-là,
que les gens de plume fussent mêlés aux
choses de la guerre. L'héroïsme était encore un privilège dont les petites gens
ne rougissaient pas d'être dispensés. Bussy-
Rabutin jugeait inconcevable que le roi
ne se fût pas adressé à un gentilhomme de
sa trempe pour écrire l'histoire de son
règne. Et le roi lui-même devait trouver
fort plaisant de traîner après lui ces
écrivains admirables qui n'étaient point
d'admirables cavaliers. Ainsi, durant la

dernière guerre, le peuple roi, dans ses tranchées, riait parfois de voir passer de grands écrivains en jaquette, bien qu'ils eussent brûlé pour lui bien plus d'encens que ne firent jamais Boileau et Racine au nez du Roi-Soleil.

De 1678 à 1693, Racine fait campagne derrière le roi dans les Pays-Bas et au Luxembourg, presque toujours seul, Boileau étant retenu par un mal de gorge, et une extinction de voix qui est presque tout le sujet des lettres que nous possédons de ces deux grands hommes, de celles, du moins, qui ne roulent pas sur des détails de prosodie. Il doit y avoir du vrai dans cette malice de Segrais : « C'est à l'occasion de Despréaux et de Racine que M. de La Rochefoucauld a établi la maxime par laquelle il dit que c'est une grande pauvreté de n'avoir qu'une sorte d'esprit. Tout leur entretien ne roule que sur la poésie ; ôtez-les de là, ils ne savent plus rien. »

Mais ce fut surtout au siège de Gand

qu'ils se couvrirent de ridicule aux yeux
des gens de Cour et qu'ils s'attirèrent le
sobriquet de Messieurs du Sublime. Le roi,
avec une délicatesse relative, y fit allusion
au lendemain même de la mort du poète :
« M. Despréaux, écrit Jean-Baptiste à
son frère Louis, ne pouvait se lasser d'admirer l'intrépidité chrétienne avec laquelle
(Racine) était mort, et le dit même au
roi qui lui dit : « Je le sais, et cela m'a
étonné, car je me souviens qu'au siège
de Gand vous étiez le brave des deux. »

Le meilleur ami que Racine eut parmi
les courtisans, M. de Cavoye, fut de ceux
qui, à la guerre, lui tendirent aussi le plus
d'embûches pour faire rire le roi ; Louis
Racine en rapporte quelques-unes qui ne
valent guère qu'on s'y arrête. Mais les
plaisanteries de Mme de Sévigné sont
meilleures : « ...Ces deux poètes historiens suivent donc la Cour, plus ébaubis
que vous ne le sauriez penser, à pied, à
cheval, dans la boue jusqu'aux oreilles...

Ils font leur cour par l'étonnement qu'ils
témoignent... Il me semble qu'ils ont assez
l'air de deux Jean Doucet. Ils disaient
l'autre jour au roi qu'ils n'étaient plus si
étonnés de la valeur extraordinaire des
soldats, qu'ils avaient raison de souhaiter
d'être tués, pour finir une vie si épouvan-
table. Cela fait rire, et ils font leur cour » :

Le vrai est que Racine aux armées écrit
des lettres où il montre bien plus d'humanité qu'on n'attendrait de lui. Ce qui faisait rire les Sévigné et les Scudéry chez
ce poète trop sensible est ce qui éveille
le plus notre sympathie. Sans doute lui
échappe-t-il quelques traits comme celui-ci
qu'on voit dans sa lettre au maréchal de
Luxembourg pour le féliciter de la victoire de Fleurus : « ...Tout s'y rencontre à
la fois (dans cette bataille), la grandeur
de la querelle, l'animosité des deux partis,
l'audace et la multitude des combattants...
un carnage horrible... Jugez donc quel
agrément c'est pour des historiens d'avoir

de telles choses à écrire... » Mais lorsqu'il
ne s'agit plus de lettres officielles, nous
voyons mieux le fond de son cœur. Ainsi
interrompt-il le récit d'une revue passée
au camp de Gevry, à deux heures de
Mons, au mois de mai 1692 : « J'étais si
las, si ébloui de voir briller des épées et
des mousquets, si étourdi d'entendre des
tambours, des trompettes et des timbales,
qu'en vérité je me laissai conduire à mon
cheval sans plus avoir d'attention à rien, et
j'eusse voulu de tout mon cœur que tous les
gens que je voyais eussent été chacun dans
leur chaumière ou dans leur maison, avec
leurs femmes et leurs enfants, et moi dans
ma rue des Maçons, avec ma famille. »

Cette histoire qui eût été un panégy-
rique et que Racine avait tort de croire
qu'il fallait voir se dérouler au bout de sa
lorgnette (mais c'est Louis XIV qui l'avait
cru pour lui) disparut en janvier 1726
dans l'incendie qui détruisit la maison de
Valincour. L'argenterie même fut fondue,

et aussi tous les livres et tous les « anas »
brûlèrent qu'avait accumulés ce charmant
bavard. Racine, vers la fin de 1683, fut
adjoint par Louvois à *la petite académie*
(qui existait depuis 1663). Avec Boileau,
Rainssant, Charpentier, Tallemant le
Jeune, Quinault et Félibien, il s'occupa à
inventer des inscriptions pour les mé-
dailles frappées en l'honneur des grandes
actions du roi L'Académie des Inscriptions et Belles-Lettres est née de ce cénacle
de courtisans érudits.

Racine, à toute heure du jour et de la
nuit, faisait donc sa cour ; et son travail
même était une louange perpétuelle. La
faisait-il aussi habilement qu'on l'imagine aujourd'hui? Le brouillon d'une lettre
à Mme de Maintenon et qu'il faudra lire
de près, nous le montre fort maladroit
lorsque vinrent les mauvais jours Être
toujours présent et ne jamais déplaire,
c'est le fin du fin d'un métier qui ne

s'apprend pas : il y faut être né. « Il voudrait bien qu'on le crût propre à rendre
service, écrit méchamment Spanheim, mais
il n'a ni la volonté ni le pouvoir de le
faire ; c'est encore beaucoup pour lui que
de se soutenir. Pour un homme venu de
rien, il a pris aisément les manières de
la Cour. Les comédiens lui en avaient
donné un faux air ; il l'a rectifié, et il
est de mise partout, jusqu'au chevet du
lit du roi. » Sans doute le Brandebourgeois
est-il un juge qu'on peut récuser ; mais
Louis XIV, qui devait s'y connaître mieux
que personne au monde, a rendu cette
sentence que rapporte Louis Racine :
« Cavoye avec Racine se croit bel esprit,
Racine avec Cavoye se croit courtisan. »
La cause est entendue et ce n'est point
pour diminuer le poète aux yeux de ceux
qui l'aiment. Il s'exténuait à un métier
à quoi sa famille bourgeoise, provinciale et
janséniste ne l'avait point dressé. Du grand
Arnauld, de Nicole, il recevait de discrets

avertissements. On lui montrait l'excès
de ses louanges. A propos d'un discours
à l'Académie, le roi lui-même témoignait
que la flatterie à trop haute dose n'a plus
de goût. Ce qui dut porter le plus de tort
à Racine courtisan, n'était-ce point la
sincérité même de sa tendresse pour
Louis XIV? Il devait sentir profondément
ce qu'il écrivit dans *Esther* :

Quiconque ne sait pas dévorer un affront,
Ni de fausses couleurs se déguiser le front,
Loin de l'aspect des rois, qu'il s'écarte, qu'il fuie...

Lui-même avoue que devant le roi il
perdait l'esprit. Nous l'allons voir, bientôt,
épier l'auguste visage, cette bouche désormais sévère, ce regard qui fuit le sien,
tourner autour de ce soleil qui luit encore
mais ne l'échauffe plus. Comme Dieu eût
pu faire, le roi lui a retiré la grâce. Et il
ne dépend pas d'un pauvre homme d'en
attirer de nouveau sur soi la surabondance.
Le roi damne ou sauve ses adorateurs
selon ses desseins impénétrables.

XI

Ce ne fut point la flatterie, mais l'esprit qui maintint longtemps Racine en faveur auprès du roi : *Esther* le servit plus sûrement que ses adorations. Mme de Maintenon, à Saint-Cyr, avait déjà fait jouer des tragédies de Racine : « Nos petites filles viennent de jouer *Andromaque*, et l'ont si bien jouée qu'elles ne la joueront plus, ni aucune de vos pièces. » Elle souhaitait de lui un petit ouvrage pour ses pensionnaires. Boileau, consulté, fit les hauts cris et supplia son ami de ne point se déshonorer ; mais le poète entrevit qu'il pouvait à la fois ne nuire en rien à sa gloire, et ne point déplaire à la toute-puissante dame ; ne pourrait-il même la flatter par le choix d'un sujet propice

aux allusions? Celui d'*Esther* est admirable parce que, écrit Racine dans sa
préface, cette histoire est « pleine des
grandes leçons d'amour de Dieu, et de
détachement du monde au milieu du
monde même. » Tout ce que Mme de
Maintenon souhaitait qu'on pensât d'elle
tenait dans cette petite phrase. Et comme
au cours de la pièce les allusions n'eussent
peut-être pas suffi, Racine inventa le pro-
logue où triompha Mme de Caylus, nièce
de Mme de Maintenon. Le roi y est loué
par la piété incarnée (Mme de Caylus
était bien en chair) de ne combattre que
pour la gloire de Dieu ; ses ennemis y sont
voués à l'enfer, et jusqu'au pape Innocent XI, favorable au prince d'Orange, et
à propos duquel le pieux Racine ne craint
pas d'écrire :

Et l'enfer, couvrant tout de ses vapeurs funèbres,
Sur les yeux les plus saints a jeté ses ténèbres.

Mme de Caylus joua tour à tour tous

les rôles, et remplaça, selon qu'elles
étaient indisposées, Mlles de Weilhenne
(Esther), de Lastic « belle comme le
jour » (Assuérus), de Glapion (de laquelle
Racine disait à Mme de Maintenon :
« J'ai trouvé un Mardochée dont la voix
va jusqu'au cœur), de la Maisonfort (qui
manqua de mémoire et que Racine fit
pleurer : « Ah ! mademoiselle, quel tort
vous faites à ma pièce ! » Mais aimant
jusqu'aux pleurs qu'il faisait verser, il
essuya ce charmant visage avec son mou-
choir et pleura lui-même de tout son
cœur). Mlles d'Abancourt, de Marsilly
et de Mornay tinrent les rôles d'Arnan,
de Zarès et d'Hydaspe.

A partir du 26 janvier 1679, *Esther* fut
le grand événement de la Cour. Comme
il n'y avait que peu de places, ce fut une
faveur insigne que d'être invité à Saint-
Cyr. Nous imaginons le roi, à la porte du
théâtre (c'était la vaste antichambre des
dortoirs) tenant haut sa canne et surveil-

lant lui-même les entrées. Les « colombes
timides », avant de pénétrer sur la scène,
chantaient le *Veni Creator*. Le roi eut
l'imprudence de mêler au troupeau des
chanteuses de profession. Mlle de Sainte-
Osmane se laissa entraîner à des légè-
retés et Mlle de Marsilly conquit le cœur
du marquis de Villette. Les dames de
Saint-Cyr, obligées d'assister à ces fêtes,
affectaient de fermer les yeux et de dire leur
chapelet. Mme de Maintenon comprit trop
tard le péril. D'ailleurs, dès que la pièce
fut imprimée, l'engoûment diminua. Cet
engoûment, il est tout entier exprimé par
la lettre de Mme de Sévigné dont chacun
se souvient. La joie y éclate d'une dame
à qui le roi a parlé ; et il est très vrai que
le plaisir de se trouver là inclinait d'abord
les esprits à l'admiration. Mais le spectacle devait plaire, même aux mal inten-
tionnés, grâce à la parfaite correspondance
entre ce texte sacré et les pieuses petites
filles qui le psalmodiaient. *Esther* con-

centre tout ce qu'adore le roi au déclin ;
le culte de sa propre personne et celui
de Dieu s'y trouvent harmonieusement
confondus. Le plus grand roi de la terre
et le Roi du ciel reçoivent le même hom-
mage, et grâce à quels délicieux truche-
ments ! Louis XIV concevait soudain le
plaisir de s'entendre louer au ciel et sur la
terre, par le chœur éternel des vierges. Mais
certaines personnes, à qui la fortune ne
montait pas à la tête, et qui avaient
autant de bon sens sous leurs fontanges,
qu'avait d'esprit sous les siennes Mme de
Sévigné, surent ne pas déraisonner à propos d'*Esther*. Mme de Lafayette remet les
choses au point dans ce passage de ses
Mémoires de la cour de France : « Mme de
Maintenon, pour divertir ses petites filles
et le roi, fit faire une comédie par Racine,
le meilleur poète du temps, que l'on a
tiré de sa poésie, où il était inimitable,
pour en faire, à son malheur et celui de
ceux qui ont le goût du théâtre, un histo-

rien très imitable. Elle a ordonné au poète
de faire une comédie, mais de choisir un
sujet pieux ; car à l'heure qu'il est, hors
de la piété, point de salut à la Cour, aussi
bien que dans l'autre monde. Racine
choisit l'histoire d'Esther et d'Assuérus,
et fit des paroles pour la musique... Tout
cela composa un petit divertissement fort
agréable pour les petites filles de Mme de
Maintenon ; mais comme le prix des choses
dépend ordinairement des personnes qui
les font, ou qui les font faire, la place
qu'occupe Mme de Maintenon fit dire à
tous les gens qu'elle y mena que jamais
il n'y avait rien eu de plus charmant, que
la comédie était supérieure à tout ce qui
s'était jamais fait en ce genre-là... Le
moyen de résister à tant de louanges?
Mme de Maintenon était flattée de l'invention et de l'exécution. La comédie
représentait en quelque sorte la chute de
Mme de Montespan et l'élévation de
Mme de Maintenon. Toute la différence

fut qu'Esther était un peu plus jeune, et
moins précieuse en fait de piété. L'ap-
plication qu'on lui faisait du caractère
d'Esther, et de celui de Vasthi à Mme de
Montespan, fit qu'elle ne fut pas fâchée
de rendre public un divertissement
qui n'avait été fait que pour la commu
nauté... »

Mais les plus touchantes allusions d'*Esther* nous paraissent être celles que Racine
croyait faire pour lui seul. Non, il n'était
pas fort bon courtisan, ce poète qui s'imaginait entendre les vierges persécutées de
Port-Royal dans les chœurs de sa tragédie, sans redouter que le roi y prît
garde. Même si Louis XIV ne s'en fût pas
avisé, il y aurait eu de bonnes âmes pour
l'en avertir sous cape, et elles n'y man-
quèrent pas. Ce fut sans doute un grief
dont Sa Majesté ne fit pas état d'abord,
mais qu'elle conserva dans un coin de sa
mémoire. Et comme elle ne se lassait pas
d'entendre *Esther*, elle dut, à la fin, re-

tenir ce que gémit une jeune israélite au
premier acte :

Que de corps entassés ! que de membres épars !
        Privés de sépulture !
    Grand Dieu, tes saints sont la pâture
        Des tigres et des léopards.

« Tiens, tiens, c'est une idée ! » pensa
peut-être le roi vers la dixième représentation. On se plaît à imaginer qu'averti
par quelque traître du dessein qu'avait
Racine de dormir son dernier sommeil
à Port-Royal, aux pieds de M. Hamon, le
roi admira que son historiographe ait choisi
un lieu de repos si peu sûr et, que dès
lors, Sa Majesté décida dans son cœur que
ce repos ne serait pas éternel.

Dès novembre 1690, Racine avait lu
chez le pieux marquis de Chandenier un
nouveau drame tiré de l'Écriture sainte.
Mais aussi dévot que le fût devenu le
grand tragique, il était dans sa destinée
d'avoir toujours à ses chausses de plus

dévots que lui. Un sulpicien dont s'était
entichée Mme de Maintenon et qu'elle
fit évêque de Chartres, l'abbé Godet des
Marais, la persuada de ne point exposer
de nouveau ses petites filles au péril
qu'*Esther* leur avait fait courir. *Athalie*
fut jouée au début de 1691, mais à huis
clos et sans costumes, dans la chambre
de Mme de Maintenon, et quelquefois à
Versailles (une fois même devant Leurs
Majestés Britanniques). L'infaillible Boileau fut seul à comprendre ce chef-
d'œuvre, et aussi, il faut bien le dire,
Mme de Maintenon qui soutint contre
l'opinion unanime que Racine n'avait rien
fait de plus beau.

Il n'y a point de commune mesure aux
deux drames sacrés du poète. *Esther* est
une exquise pièce de circonstance (avec
des morceaux sublimes, comme la prière
d'Esther). Un grand génie appliqué à une
petite tâche qu'on lui commande, réussit
le chef-d'œuvre du poète de cour, de

cour dévote. Rien n'y est laissé au hasard, tout est pesé, tout est voulu. Mais avec *Athalie*, le vrai Racine, le grand Racine qu'on eût pu croire mort depuis quatorze ans, de nouveau se dresse et parle. Il a trouvé *Athalie* dans la Bible, mais l'a repêtrie, lui a communiqué de son sang. Le poète n'eût sans doute pas convenu que son vieux cœur s'exprimait dans cette vieille reine implacable, hésitante et vaincue ; et pourtant !

Peu de mois avant sa mort, Sarah Bernhardt interpréta le rôle d'Athalie. Ceux qui l'ont entendue se souviennent de la majestueuse grandeur dont elle revêtait la fille d'Achab. Nous nous rappelâmes alors que Voltaire avait déjà pris le parti d'Athalie contre le grand prêtre. Interprétation ingénieuse, pensions-nous, qui trahissait les intentions du poète.

Mais à relire de près ce drame terrible, il apparaît nettement que Racine a voulu que la vieille reine eût de la grandeur.

Aussi grande que Joad, certes, mais elle
est seule ; et Joad, lui, se tient du côté
le plus fort, du côté de Dieu. Phèdre,
écrasée par Dieu, sentant peser sur elle une
griffe effroyable, ne se débattait pas. Mais
si nous imaginons une Phèdre qui ait sur-
vécu à Hippolyte, à Thésée, et qui, l'âge
de la tendresse enfin passé, ait décidé de
finir par l'ambition, — elle ne sera plus
désormais aveuglée par ce mal d'amour
qui, confondu avec la chair et le sang,
échappe à notre emprise. L'ambition nous
laisse le sang froid. L'héroïne racinienne
relève la tête, se dresse contre l'aigle
menaçant et prêt à fondre ; Athalie fait
la brave contre Dieu. De prime abord,
c'est à Agrippine qu'elle ressemble ; par
son âge, par ses crimes, par sa folie de
domination. Mais Agrippine appartient à
un autre monde, un monde sans Dieu, ou
peuplé de dieux mi-humains, qu'on ama-
doue à peu de frais. En revanche, Athalie a
cela de commun avec Phèdre : un adver-

saire implacable et tout-puissant. Phèdre
pliait, se voilait la face. La vieille Athalie,
majestueuse, entourée de ses Syriens, songe
à détruire le temple du Dieu ennemi, à
écraser sous les pierres un peuple de
prêtres fanatiques et insolents. Elle se
croit libre encore d'agir, alors qu'elle est
déjà, plus que Phèdre, étroitement ligotée.
Elle ne fait aucun pas qui ne la rapproche
à son insu de la fosse ouverte. Dès sa
première parole, Racine nous incite à la
plaindre :

...Cette paix que je cherche et qui me fuit toujours,

soupire-t-elle, s'appuyant sur Abner. Et
tout de suite elle se défend, elle explique sa
conduite avec la hauteur d'une Catherine
de Médicis, d'une Christine de Suède, d'une
Catherine de Russie :

Ce que j'ai fait, Abner, j'ai cru le devoir faire.
Je ne prends point pour juge un peuple téméraire...

Enfin elle invoque la raison d'État, que
Racine avait ses raisons de ne point juger

indigne d'examen. S'il ne souhaite point
de justifier la reine, du moins la consi-
dère-t-il sans furie, avec d'autres yeux
que ceux du grand prêtre : avec des yeux
de gentilhomme ordinaire du roi.

> Je jouissais en paix du fruit de ma sagesse...

lui fait-il dire, après qu'elle s'est vantée
d'avoir réduit tous ses voisins par une
politique assez semblable à celle de
Louis XIV. Elle ménage même ses ennemis
plus que ne fait le grand roi :

> Je sais sur ma conduite et contre ma puissance
> Jusqu'où de leurs discours ils portent la licence.
> Ils vivent cependant, et leur temple est debout.

(Louis XIV, lui, savait déjà, peut-être,
qu'il ne laisserait pas, de Port-Royal, pierre
sur pierre.)

Racine a conçu avec beaucoup de netteté ce que Nietzsche devait appeler un
jour la morale des maîtres. Il vivait dans
un temps où c'était, si l'on peut dire, la
morale courante. Athalie, mais aussi Agrip-

pine, Burrhus, Narcisse, Bérénice, Titus,
Acomat, Mithridate, Aman, Nathan, re-
présentent cette humanité créatrice d'une
morale de la puissance, à laquelle, tout
chrétien qu'il était, Racine tenait par ses
fibres les plus profondes. Et il est remarquable qu'un autre grand janséniste, que
Pascal ait, à plusieurs reprises, énoncé des
maximes faites pour enchanter Stendhal
et Nietzsche, notamment dans le *Discours
sur les passions de l'amour*, et dans sa
dédicace de la machine arithmétique à la
reine de Suède. Mais tout se passe comme
si ces deux êtres de race conquérante
eussent découvert un jour que ce sont les
esclaves qui ont raison, ou plutôt que les
maîtres n'existent pas, que nous naissons
tous esclaves dans une chair corrompue ;
que l'Être infini exige que sa créature
avilie et rachetée lui immole tout ce dont
elle tirait gloire.

Les calculs profonds d'Athalie ne ré-
sistent pas à un songe. Dieu a prise sur ce

grand esprit par ce qu'il y subsiste encore
d'inquiétude superstitieuse et de trouble :

Un songe... me devrais-je inquiéter d'un songe?...

Il s'insinue en elle par la terreur, mais
aussi par la tendresse, par la pitié : cette
sanguinaire Athalie, le petit Eliacin
l'émeut, la charme en dépit de ses insolences inspirées. « La douceur de sa voix,
son enfance, sa grâce » ouvrent ce cœur
qui ne se croyait plus accessible à rien
d'humain. Elle ignore que le Dieu de
Joas s'arme contre nous de notre faiblesse
même, de notre sympathie pour les faibles :
c'est presque toujours par les autres et
pour les autres que nous nous perdons.

Athalie résiste à ses remords ; elle
plaide et proteste qu'elle a rendu meurtre
pour meurtre, outrage pour outrage. N'a-
t-elle pas vu massacrer son père, son
frère,

Et dans un même jour égorger à la fois
Quel spectacle d'horreur ! quatre-vingts fils de rois...

Racine lui prête ici un accent de sincérité passionnée, il admet qu'elle soit certaine de son bon droit ; mais il sait aussi que nul n'a jamais raison contre Dieu. Dieu n'est pas un adversaire qui puisse avoir des torts. Sa justice n'est pas notre justice. Rien ne sert de faire le brave, il a d'avance l'accès de notre cœur ; nous lui sommes livrés avant même de le savoir ; c'est par l'intérieur qu'Il nous occupe. Le miracle d'*Athalie* tient dans la peinture de cet investissement d'une grande âme perdue d'avance, — plus que Phèdre, irrémédiablement perdue. Mathan, l'ennemi de Dieu, assiste, lucide, à cette destruction :

Ami, depuis deux jours je ne la connais plus.
Ce n'est plus cette reine éclairée, intrépide,
Élevée au-dessus de son sexe timide,
Qui d'abord accablait ses ennemis surpris
Et d'un instant perdu connaissait tout le prix.
La peur d'un vain remords trouble cette grande âme :
Elle flotte, elle hésite ; en un mot, elle est femme.

Aussi haute que soit cette âme, Dieu la pourrait abattre d'un signe; mais Il s'offre ce luxe de la ruse; Il jette une proie à ce puissant fauve femelle, et se dissumule.

Tous les filets sont tendus : l'appât d'un enfant et d'un trésor attirent Athalie dans le temple qui paraît désert; mais, dans ses profondeurs, un peuple de prêtres armés retient son souffle. Et ici encore la reine, dans ses invectives contre Joad, ne prononce pas une parole où n'éclate le sentiment de sa grandeur, jusqu'à ce vers dont Louis XIV devait pénétrer le sens profond :

Éternel ennemi des suprêmes puissances!

(Mais ce n'était pas au grand prêtre, c'était au grand Arnauld qu'il l'avait souvent adressé.)

Lorsqu'enfin une nuée de lévites s'acharne sur cette vieille femme et que tous l'abandonnent, elle dédaigne de con-

sidérer la foule délirante ; elle dénie même
au grand prêtre sa victoire ; elle ne le
voit plus et se retourne contre le seul
ennemi qu'elle se connaisse :

Dieu des Juifs, tu l'emportes.
. . . .
Impitoyable Dieu, toi seul as tout conduit.
C'est toi qui me flattant d'une vengeance aisée,
M'as vingt fois en un jour à moi-même opposée...

Mais même réduite à cette extrémité, elle
ne consent pas à sa défaite ; elle ne se
croit pas vaincue ; elle est sûre de n'être
pas vaincue, sachant que l'esprit de révolte et d'orgueil ne saurait périr avec
elle, et qu'il se dressera contre l'Éternel
jusqu'à la fin des temps. Le petit Joas
l'a reçu d'elle en naissant ; elle lui a
transmis le flambeau, à ce porte-lumière,
à ce Lucifer ; elle ne doute pas que cet
enfant sera sa vengeance. O vision déli-
cieuse ! le temple ensanglanté par le
meurtre de Zacharie...

Qu'il règne donc, ce fils, ton soin et ton ouvrage...

Racine n'a peut-être pas conscience de
son plaisir lorsqu'il souffle à la vieille
reine indomptable cet affreux courage de
braver Dieu, le couteau sur la gorge. Lui
qui a choisi de se soumettre, de servir en
tremblant, il ne sait pas qu'une part de
lui-même se satisfait de ces blasphèmes
et se grise de cette audace désespérée.
Joad fait traîner hors du temple la tigresse ;
ses membres vont être déchirés comme
ceux de Jézabel, à même la boue, par la
meute des agneaux. Racine s'associe aux
agneaux qui ne périront pas, qui ne
seront pas éternellement confondus. Il se
range du côté des plus faibles, puisqu'au
fond ils demeurent les plus forts :

> D'un cœur qui t'aime,
> Mon Dieu, qui peut troubler la paix?
> Il cherche en tout ta volonté suprême,
> Et ne se cherche jamais.
> Sur la terre, dans le ciel même,
> Est-il d'autre bonheur que la tranquille paix
> D'un cœur qui t'aime?

XII

« D'un cœur qui t'aime, mon Dieu, qui peut troubler la paix? » Mais ce cœur suffit à se troubler lui-même ; il ne chérit pas que Dieu, il souffre des moindres humeurs du Maître. Racine épie les plus légers signes de mécontentement et, anxieux, s'abandonne à qui le flatte et le caresse avec une confiance d'enfant nerveux. Mme de Maintenon souriait de la simplicité puérile que le poète apportait dans les choses de la Foi ; elle devait, en secret, admirer bien plus sa facilité à se livrer. Il savait pourtant comme elle avait traité Fénelon et qu'elle ne s'était jamais compromise pour personne. Elle dut voir, dès le temps d'*Athalie*, que Racine s'engageait dans une route périlleuse. Au

quatrième acte, Joad fait un cours bien
imprudent sur la fonction royale :

De l'absolu pouvoir vous ignorez l'ivresse
Et des lâches flatteurs la voix enchanteresse.
Bientôt ils vous diront que les plus saintes lois,
Maîtresses du vil peuple, obéissent aux rois ;
Qu'un roi n'a d'autre frein que sa volonté même ;
Qu'il doit immoler tout à sa grandeur suprême ;
Qu'aux larmes, au travail, le peuple est condamné,
Et d'un sceptre de fer veut être gouverné...

Aux approches de la Révolution, ces
vers étaient interrompus par les applau-
dissements ; et sous l'Empire, Fouché me-
naça d'interrompre les représentations de
la pièce. Il est impossible que Louis XIV
n'ait pas, le premier, dressé l'oreille, d'autant qu'il savait que son historiographe
avait partie liée avec les jansénistes. Sans
doute lui donne-t-il le titre de gentilhomme ordinaire ; il avait accoutumé de
laisser les gens s'enferrer ; et le terrible de
ses disgrâces, c'était qu'il les avait lon-
guement mûries. Louis XIV n'aimait point
que les gens de lettres et d'Église appli-

quassent leur esprit ou leur vertu à la
réforme de l'État. A vrai dire, presque
tous les grands écrivains de son siècle par-
tageaient ce sentiment. Nietzsche, au dix-
septième siècle, n'eût scandalisé personne
en rappelant que faire œuvre de savant
ou d'artiste, c'est faire œuvre de subor-
donné, et que le gouvernement des hommes
est une autre histoire. Racine, par sa
nature même, devait plus qu'un autre
partager cette opinion. Mais une part de
lui-même avait pris parti, peut-être à son
insu, pour Joad et pour Port-Royal contre
Athalie et contre Louis XIV.

Le maladroit commençait de parler,
chez Mme de Maintenon, des misères du
peuple ; il cédait à la folie d'avoir des idées
sur ce sujet. C'est extraordinaire que personne jusqu'ici n'ait soupçonné l'épouse
du vieux roi, cette personne compliquée,
d'avoir passé, de sang-froid, le lacet autour
du cou de Racine, lorsqu'elle lui demanda
de coucher par écrit ses touchantes ré-

flexions sur le pauvre peuple. L'étrange
exigence ! Était-il bien assuré que l'écrit
ne sortirait pas de ses mains? La dame le
lui jurait ; le fait est qu'il en sortit :
Mme de Maintenon prétendit que le roi
l'avait surprise pendant qu'elle le lisait
et qu'il exigea qu'elle nommât l'auteur.
Ce qui nous rend suspecte cette histoire,
c'est une anecdote que rapporte Bussy-
Rabutin, et où nous voyons la même
dame se faire surprendre exprès par le
roi, alors qu'elle lui écrivait des gentil-
lesses. Peut-on douter de la supercherie?
Quoi qu'il en soit, Sa Majesté, mécon-
tente du mémoire de Racine, fit alors une
réflexion qu'il est difficile de ne pas admirer : « Parce qu'il sait faire parfaitement
des vers, croit-il tout savoir? Et parce
qu'il est grand poète, veut-il être mi-
nistre? » La France n'avait plus longtemps
à attendre pour éprouver la sagesse de
cette parole : Jean-Jacques Rousseau était
bien près de naître.

Mme de Maintenon a plus tard montré le bout de l'oreille dans une lettre à Mme de la Maisonfort : « ...Vous auriez eu plus de plaisir dans le monde ; mais, selon toutes les apparences, vous vous y seriez perdue ; Racine vous aurait divertie et vous aurait entraînée dans la cabale des jansénistes... »

Mais Racine avait la confiance chevillée au corps ; ses contemporains ont souvent parlé de sa candeur ; c'était le courtisan, chez lui, qui était surtout candide ; il se laissait prendre aux apparences et ne se souvenait jamais de se méfier. Ce fut encore à Mme de Maintenon qu'il eut recours lorsqu'une requête qu'il avait fait faire pour être exempté de la taxe extraordinaire imposée sur les charges de secrétaire du roi, eut été repoussée sans aménité par Louis XIV. Le pauvre Racine en était déjà fort affecté, lorsqu'il apprit avec désespoir que le roi prêtait l'oreille à ceux qui le dénonçaient comme jansé-

niste. Nul doute que le roi et son épouse
n'eussent leur siège fait depuis longtemps.
Ne connaissaient-ils aussi des épigrammes
féroces dirigées contre leur couple auguste?
Il est bien difficile de les attribuer au
Racine pénitent de cette époque. Mais le
diable fait ermite peut avoir des retours
terribles. Le certain est que jusqu'à la
mort, le poète ne put retenir sa malice ;
en 1694, en 1695, le *Germanicus* de Pradon,
la *Judith* de Boyer, le *Sésostris* de Longe-
pierre excitent, d'ailleurs médiocrement,
sa verve. Il faut tout attendre d'une sensibilité à vif. Ce Racine follement irritable, qui put autrefois tourner en dérision la Mère Angélique et M. Le Maître, qui
insulta bassement sa maîtresse la Champmeslé, nous l'imaginons assez, un jour qu'il
entrevoit la perfidie de Mme de Maintenon, l'ingratitude infinie du roi, nous
l'imaginons d'un seul coup se débondant,
et tout le fiel accumulé jaillit :

Il eut peur de l'enfer, le lâche, et je fus reine.

Il ne nous déplaît pas de croire qu'il ait
pu prêter ce cri à Mme de Maintenon.
Pourquoi l'homme accoutumé à dévoiler
le secret des cœurs n'eût-il su, dans les
heures où la courtisanerie ne l'aveuglait
pas, percer à jour les intrigues de cette
tortueuse personne? Les fils n'en étaient
pas si minces et toute la Cour s'en gaus-
sait. M. Mesnard se voile la face ; ce serait,
dit-il, un sacrilège, d'examiner seulement
si Racine a pu écrire une pareille infamie.
Que nous sommes exigeants pour les morts
illustres ! Qui de nous songerait seulement
à se brouiller avec un ami, sous prétexte
qu'il aurait, en un jour d'exaspération, écrit
un sonnet atroce contre une perfide grande
dame?

En tout cas, Racine ne soupçonna la
Maintenon que par éclairs ; elle jouait
serré avec lui. Le naïf acceptait qu'elle le
vît en cachette, comme si ces cachotte-
ries n'eussent point dû suffisamment
l'éclairer sur ce qu'il devait attendre d'une

personne à ce point circonspecte : « L'ayant
aperçu dans les jardins de Versailles, raconte Louis Racine, elle s'écarta dans une
allée, pour qu'il pût l'y joindre. Sitôt qu'il
fut près d'elle, elle lui dit : « Que crai-
« gnez-vous? C'est moi qui suis cause de
« votre malheur, il est de mon intérêt et
« de mon honneur de réparer ce que j'ai
« fait. Votre fortune devient la mienne.
« Laissez passer ce nuage : je ramènerai le
« beau temps. — Non, non, madame, lui
« répondit-il, vous ne le ramènerez jamais
« pour moi. — Et pourquoi, reprit-elle,
« avez-vous une pareille pensée? Doutez-
« vous de mon cœur ou de mon crédit? »
Il lui répondit : « Je sais, madame, quel
« est votre crédit, et je sais quelle bonté
« vous avez pour moi ; mais j'ai une tante
« (Sainte-Thècle) qui m'aime d'une façon
« bien différente. Cette sainte fille demande
« tous les jours à Dieu pour moi des dis-
« grâces, des humiliations, des sujets de
« pénitence, et elle a plus de crédit que

« vous. » Dans le moment qu'il parlait, on
entendit le bruit d'une calèche : « C'est le
« roi qui se promène, s'écria Mme de Main-
« tenon, cachez-vous. » Il se sauva dans
un bosquet... »

Nous imaginons ce pauvre Racine es-
soufflé, derrière des arbustes, la main au
côté droit qui commençait à le faire souffrir.
Qu'on ne nous parle plus de son adresse.
Ce n'est même plus de la maladresse, mais
une sorte de sadisme qui le pousse ainsi
à parler de sa tante Sainte-Thècle à la
Maintenon, et à soutenir que l'abbesse
janséniste a plus de crédit auprès de Dieu
que la « servante-maîtresse » du roi. Il lui
restait de se jeter, les yeux fermés, dans
la gueule du loup ; c'est ce qu'il fit par
une lettre dont le brouillon existe encore
à la Bibliothèque nationale et dont le roi
et sa femme durent bien rire. Il y ouvre
le tréfonds de son cœur avec une naïveté
désespérée. Le courtisan y fait la part du
feu, renie la doctrine, crie bien haut qu'il

n'est pas janséniste, mais confesse un tel attachement pour ceux qui se réclamaient de ce nom que le roi dut commencer, après avoir lu cette épître, à le tenir pour beaucoup plus que suspect. C'est sans doute la seule fois que Racine se targue du pouvoir que Sa Majesté lui a octroyé de flatter plus ou moins son image aux yeux des siècles futurs : « Hé quoi ! madame, avec quelle conscience pourrai-je déposer à la postérité que ce grand prince n'admettait point les faux rapports contre les personnes qui lui étaient le plus inconnues, s'il faut que je fasse moi-même une si triste expérience du contraire ! » Qui eût cru que Racine perdrait un jour le sens jusqu'à risquer une menace si maladroite? Et quelle apparence que Louis XIV pût jamais lui pardonner cette espèce de chantage à la Juvénal? On trouve encore ceci dans cette fameuse lettre : « Je vous avoue que lorsque je faisais tant chanter dans *Esther :* « Rois, chassez la calomnie ! »

je ne m'attendais guère que je serais moi-
même un jour attaqué par la calomnie.
Je sais que, dans l'idée du roi, un janséniste est tout ensemble un homme de
cabale et un homme rebelle à l'Église (le
roi devait trouver fort mauvais que Racine
voulût lui faire là-dessus la leçon ; il était
sûr de voir clair et l'événement lui a donné
raison)... Ayez la bonté de vous souvenir,
madame, combien de fois vous avez dit
que la meilleure qualité que vous trou-
viez en moi, c'était une soumission d'enfant pour tout ce que l'Église croit et
ordonne, même dans les plus petites
choses. J'ai fait par votre ordre près de
trois mille vers sur des sujets de piété
(*par votre ordre* est horrible et diminue
notre pitié pour le vieux poète)... J'y ai
parlé assurément de l'abondance de mon
cœur, et j'y ai mis tous les sentiments dont
j'étais le plus rempli. Vous est-il jamais
revenu qu'on y ait trouvé un seul endroit
qui approchât de l'erreur de tout ce qui

s'appelle jansénisme? (Le naïf croyait-il que
la police de Louis XIV ignorait cette
Histoire de Port-Royal à laquelle il consa-
crait les loisirs que lui laissait l'histoire du
roi?) Pour la cabale, qui est-ce qui n'en
peut point être accusé, si on en accuse
un homme aussi dévoué au roi que je le
suis, un homme qui passe sa vie à penser
au roi, à s'informer des grandes actions
du roi, et à inspirer aux autres les sentiments d'amour et d'admiration qu'il a
pour le roi? »

Que ce roi devait s'entendre à doser,
à nuancer sa disgrâce ! Au vrai, il ne lui
restait guère plus que ce plaisir. Si la façade
du poète demeurait brillante, sa situation était lentement rongée à l'intérieur.
Gentilhomme ordinaire, il est de tous les
Marly, il va à Fontainebleau. Triste satel-
lite, il continue à tourner autour de l'astre,
mais n'en reçoit plus aucun rayon. On
l'imagine, entre deux portes, la main au
côté droit, guettant une parole, un simple

regard. Il se décourage : « J'ai résolu d'être
à Paris le plus souvent que je pourrai,
écrit-il à Jean-Baptiste, non seulement
pour y avoir soin de ma santé, mais pour
n'être point dans cette horrible dissipation où l'on ne peut éviter d'être à la
Cour... » Il fut un temps, même au plus
fort de sa dévotion, où cette dissipation
ne lui faisait pas peur. Le dernier lien se
brise, l'impitoyable Sainte-Thècle est
exaucée ; Dieu nous préserve, devait penser
son neveu, de ces saintes personnes qui,
non contentes de celles qui les écrasent,
mendient au ciel des croix pour nous.
Racine renonce à ce qui le rattachait encore
à la terre. Le voici démuni, dépouillé,
tel que Dieu et Sainte-Thècle le veulent
voir. Il accepte de ne plus plaire ; il se
détourne du soleil. C'est vers ce temps-là
aussi qu'il jette au feu une édition de
ses œuvres qu'il s'était plu à corriger.
Pour ce qui est des biens de ce monde,
il n'en était point aussi comblé que ses

ennemis l'ont prétendu : un peu plus
de quatorze mille livres de revenus réguliers que lui valent sa trésorerie de
Moulins, ses pensions d'homme de lettres,
d'historiographe, de gentilhomme ordinaire et de secrétaire du roi. Mme Racine
possédait de son chef quarante mille livres
environ, et une maison rue de la Grande-
Friperie. Elle vivra assez vieille pour voir
les beaux jours de Law et pour perdre
le plus clair de son bien dans le « Système ».

Dès octobre 1698, Racine souffre de
coliques et d'une fièvre qu'il coupe à
force de quinquina. Sa douleur de côté
l'inquiète. Il fait tout de même le voyage
de Melun pour assister à la profession de
sa fille Nanette où il n'arrête pas de san-
gloter. On sait qu'il pleurait aux prises de
voile, même quand il ne s'agissait pas
ses filles. C'est une espèce de sensibilité
qui fait que certains aiment à s'émouvoir
du renoncement, de la pureté des jeunes

êtres : concupiscence particulière à un abbé Perreyve qui répète souvent, avec délectation : « J'aime les premières communions... » Racine, lui, aimait les prises de voile. « M. Racine, *qui veut pleurer*, aimerait mieux que ce fût vendredi — écrit Mme de Maintenon à Mme de Brinon au sujet d'une prise de voile (celle de Mlle de Lallie) — ce qui ne doit pourtant pas vous obliger à rien changer... » Mais la route de Melun est horrible ; le pauvre homme en revient anéanti : « Il m'est resté de ma maladie une dureté au côté droit... » Ainsi nomme-t-il, pour la première fois, dans une lettre à Jean-Baptiste, ce qui va le tuer.

Ce fils aîné voua plus tard une haine mortelle à Valincour, l'ami de son père, pour ce qu'il écrivit à l'abbé d'Olivet : « ...Un matin, étant entré dans son cabinet, pour prendre du thé selon sa coutume, et s'apercevant que cet abcès était séché et refermé, Racine fut frappé d'effroi et s'écria qu'il était un homme mort. Il des-

cendit dans sa chambre, et se mit au lit,
d'où en effet il n'est pas relevé depuis. On
reconnut bientôt que c'était un abcès
formé dans le foie. Ses douleurs devinrent
si cruelles qu'une fois il demanda s'il ne
serait pas permis de les faire cesser en
terminant sa maladie et sa vie par quelque
remède. » Étranges chrétiens que ces fils
de Racine qui acceptent que l'humanité
du Christ ait crié devant la mort, et qui
ne peuvent souffrir d'apprendre que celui
qu'ils aimaient et qui était un faible
poète, ait lui aussi frémi. Nous aimons
mieux en croire cet honnête homme de
Valincour, secrétaire général de la ma-
rine, chéri de Racine, mais aussi de Pont-
chartrain, du comte de Toulouse, de Da-
guesseau, de Bossuet, de Boileau, de La
Bruyère, « aimable, doux, gai, salé, sans
vouloir l'être... » écrit de lui Saint-Simon.

Racine ne quitte plus sa chambre. On
ne voit plus, sur la route de Versailles,
son carrosse-coupé, doublé de velours rouge

à ramages, que traînaient deux chevaux
hongres sous poil blanc, à courte queue,
vieux et caducs. En mars, Racine est
malade à mourir ; toute la Cour s'intéresse à lui et le roi même lui marque
quelque intérêt. Dodart, le médecin des
Solitaires, lui fit une incision cruciale au
côté droit, un peu au-dessous de la ma-
melle ; il en sortit une demi-palette de
pus bien cuit.

Racine, dont chacun redoutait le caractère irritable, étonnait son entourage par
sa patience et par sa douceur. Il répétait
qu'il n'avait jamais eu la force de faire
pénitence, et se louait de ce que Dieu
lui faisait la miséricorde de l'y obliger.
A son chevet se tenaient son gendre Mo-
ramber, Valincour, l'abbé Renaudot, et ce
Willard, le voisin de la rue des Maçons qui,
quatre ans plus tard, devait être jeté à
la Bastille et y expier, jusqu'en 1715,
l'année de sa mort, le crime d'être janséniste. Boileau vint d'Auteuil, et Racine

témoigna sa joie de mourir le premier à cet ami, « le meilleur homme, répétait-il, qu'il y ait au monde. » Son confesseur ordinaire, un prêtre de Saint-André-des-Arts, l'aidait à mourir (bien que sa maison de la rue des Marais dépendît de Saint-Sulpice). Mais il avait habité, auparavant, rue du Cimetière-Saint-André-des-Arts, où avaient été baptisées ses trois premières filles, puis rue des Maçons.

Deux jours avant de mourir, M. Dodart étant au chevet de son lit, il dit à Jean-Baptiste d'aller chercher dans son cabinet une petite cassette noire, et il en retira un manuscrit qu'il remit à M. Dodart et qui était l'*Abrégé de l'histoire de Port-Royal*.

Vers le même temps, comme son fils Jean-Baptiste voulait le rassurer, et invoquait le témoignage des médecins : « Ils diront ce qu'ils voudront, laissons-les dire ; mais vous, mon fils, voulez-vous me tromper, et vous entendez-vous avec eux ?

Dieu est le maître ; mais je puis vous
assurer que s'il me donnait le choix ou de
la vie ou de la mort, je ne sais ce que je
choisirais : les frais en sont faits. »

Après quarante-cinq jours d'une patience exemplaire, il rendit le dernier
soupir le 21 avril 1699, entre trois et
quatre heures du matin. Il mourait au
même âge que le saint M. Hamon, près
duquel son dernier vœu fut de reposer.
Il mourut dans la même paix, en répé-
tant peut-être l'unique mot de *silence* qui
était revenu plusieurs fois sur les lèvres
de M. Hamon, durant sa nuit d'agonie.
On le porta d'abord à Saint-Sulpice, puis,
selon ce qu'il demandait dans son testament, à Port-Royal : « Je désire qu'après
ma mort mon corps soit porté à Port-
Royal-des-Champs, et qu'il y soit inhumé
dans le cimetière, au pied de la fosse de
M. Hamon. Je supplie très humblement
la Mère abbesse et les religieuses de vouloir bien m'accorder cet honneur, quoique

je m'en reconnaisse très indigne et par
les scandales de ma vie passée, et par le
peu d'usage que j'ai fait de l'excellente
éducation que j'ai reçue autrefois dans
cette maison, et des grands exemples de
piété et de pénitence que j'y ai vus, et
dont je n'ai été qu'un stérile admirateur.
Mais plus j'ai offensé Dieu, plus j'ai besoin
des prières d'une si sainte communauté
pour attirer sa miséricorde sur moi. Je prie
aussi la Mère abbesse et les religieuses
de vouloir accepter une somme de huit
cents livres, que j'ai ordonné qu'on leur
donne après ma mort. Fait à Paris, dans
mon cabinet, le dixième octobre mil six
cent quatre-vingt-dix-huit. »

Toute la vie de Racine proteste contre
la plaisanterie fameuse qu'on fit alors :
« Il ne se serait pas fait enterrer à Port-
Royal de son vivant. » Port-Royal l'a
toujours tenu, même quand il en paraissait
le plus éloigné. Il n'a jamais cessé d'y
être enseveli.

XIII

« Despréaux, nous avons beaucoup perdu
vous et moi, à la mort de Racine, » cria
Louis XIV, du plus loin qu'il aperçut Boileau. Le vieux poète répandit partout que
Sa Majesté avait parlé de Racine d'une
manière à donner envie aux courtisans de
mourir. Mais il ne revint jamais à Versailles : « Je ne sais plus louer... » répétait-il.

Une amitié si constante porte témoignage en faveur de celui qui l'inspira.
Jusqu'à la fin, Boileau tint au foyer de
son ami la place d'un vieil oncle un
peu grincheux et secrètement tendre :
« Nous allâmes l'autre jour prendre l'air à
Auteuil, écrit Racine dans une des der-

nières lettres que nous ayons de lui, et
nous y dînâmes avec toute la petite famille, que M. Despréaux régala le mieux
du monde ; ensuite il mena Lionval et Madelon dans le bois de Boulogne, badinant
avec eux, et disant qu'il les voulait mener
perdre. Il n'entendait pas un mot de
tout ce que ces pauvres enfants lui disaient. »

Pourtant, Boileau ne pèche guère par
excès d'indulgence, et ce n'est point assez
de dire qu'il jugeait Racine sans illusion.
Du génie même de son ami, il ne se faisait
pas une idée excessive, tant nous avons
de peine à croire qu'il puisse y avoir de
l'extraordinaire chez ceux qui nous touchent de près, même si nous les admirons.
Jusqu'à son dernier jour, Boileau refusa
à Racine la première place aux côtés de
Molière et... de Despréaux. Il le dit même
au roi qui s'en étonna : « ...Mais, ajouta Sa
Majesté, vous vous y entendez mieux que
moi... » Racine était, aux yeux de Boileau,

un élève éblouissant d'Euripide et de lui-
même. Il se glorifiait de lui avoir appris
« à faire difficilement des vers faciles ».
Nous ne savons si Racine connut ce jugement ; peut-être ne s'en fût-il pas indigné.
Jaloux de sa prééminence, surtout lorsqu'il
s'agit de Corneille (il défendit âprement le
discours de La Bruyère à l'Académie dont
certains voulaient empêcher l'impression,
parce que l'auteur d'*Andromaque* y était
préféré à celui du *Cid*) Racine est toujours
ramené à l'humilité par son culte des
Anciens. Il soutint leur cause sans faiblir
contre Perrault, et ne souffrait d'être égalé
à aucun d'eux. Aussi jugeait-il peut-être
que Boileau lui faisait déjà large mesure
en osant prononcer le nom d'Euripide en
même temps que le sien. Cet orgueilleux
n'avait point l'exigence, l'insatiabilité des
artistes d'aujourd'hui qui, grâce à leur
peu de culture, se persuadent aisément de
ne rien devoir à ceux qui les ont précédés :
ignorant tout, ils s'imaginent tout inventer.

Racine, lui, ne rougisssait pas du nom
d'imitateur. Il ne trouvait pas déshonorant
d'être un élève.

Quelle simplicité dans un Racine, dans
un Boileau ! Si les vers qu'ils font et les
médecines qu'ils avalent sont presque
tout le sujet de leurs lettres et, sans doute,
de leurs propos, il faut admirer cette pu-
deur, cette discrétion. Mais c'est aussi
qu'il n'y a guère de labyrinthe en eux ;
ou, plutôt, ils ne se glorifient pas de leur
labyrinthe intérieur ; ils n'en subissent pas
la hantise ; ils ne s'y perdent pas, comme
c'est notre passion aujourd'hui. En cela,
encore, ils sont les imitateurs des Grecs.
Racine pensait-il aux drames cachés de
sa vie, autrement que pour en demander
pardon à Dieu? Nous ne le croyons pas.
Mais Boileau, témoin de sa jeunesse orageuse, devait les lui rappeler quelquefois,
lorsque Racine se laissait aller à des railleries blessantes

Car l'amitié n'aveuglait pas Boileau sur

l'homme plus que sur l'auteur. « Il disait que Racine était venu à la vérité par la religion, son tempérament le portant à être railleur, inquiet, jaloux et voluptueux. » Il en savait plus long que nous sur son terrible ami. Familier des enfants de Racine, peut-être fut-il leur complice et les aida-t-il à brûler certains papiers.

L'inquiétude, la jalousie, la volupté, c'est ce qui porte un être aux pires erreurs. Boileau, si parfois il jugeait excessive la dévotion de son ami, devait se dire que certains cœurs insatiables doivent s'engager à fond avec Dieu pour ne point périr. A vingt ans, un Racine, en dépit de cette sensibilité folle qui fait de lui une cible vivante, se soutient par la jeunesse, par le talent, par le succès, par l'amour. Ce moqueur de génie a de quoi prévenir toutes les attaques et, avant d'être touché lui-même, il fonce sur l'adversaire, le pique jusqu'au sang. Mais la

jeunesse décroît, et l'amour. Le vent du
succès tourne ; le bel arbre porte ses derniers fruits ; il est affaibli, fatigué. Ses
ennemis, peut-être lui ont-ils dérobé des
armes mortelles. Pauvre poète ! D'autres
peuvent vivre sans lièges qui les sou-
tiennent ; leur peau est dure, ils naissent
cuirassés. Racine est né frémissant : tout
l'atteint, tout le blesse ; n'y aurait-il les
hommes, la pensée de la mort suffit à le
torturer ; la mort lui fait horreur... Ah !
que ce ne soit pas un trou, une fosse, une
ténèbre immense. Qu'il y ait quelqu'un
sur le seuil ; quelqu'un : des bras ouverts.
Même si cet Être est terrible, Racine préfère sa présence au néant. Il a confiance
dans son charme ; il préfère un Dieu
injuste, un Dieu capable de l'aimer mieux
que les autres. Il se flatte de savoir
l'apaiser ; il s'en charge ; il se fera enfant,
s'abaissera aux plus humbles pratiques.
Ça ne lui coûte pas ; il a bien moins d'orgueil qu'on n'imagine. Au fond, il aime

plaire et se blottir. Il sait comment s'y
prendre avec Dieu, ayant été dès l'enfance dressé à le séduire. Boileau l'en
raille doucement : « J'aurais bon besoin
de votre vertu, et surtout de votre vertu
chrétienne pour me consoler, mais je n'ai
pas été élevé comme vous dans le sanc-
tuaire de la piété... » Racine y fut élevé.
Ses cahiers d'écolier sont pleins de ces
cantiques dont M. de Sacy était jaloux
et que maintenant, au seuil de la mort,
il remet sur le métier jusqu'à les rendre
dignes du Dieu d'Abraham, d'Isaac et de
Jacob.

Ces admirables *Cantiques spirituels* jail-
lissent d'un cœur passionnément résolu
à ne pas périr. Que Dieu fasse son esclave
volontaire de cet « esclave de la mort ».
Mais il ne suffit pas à l'homme d'être
heureux, il faut aussi que les autres ne
le soient pas ; les réprouvés aident les
élus à sentir leur bonheur. Ainsi Racine,
dans le sein du Père, se voit déjà écou-

tant la plainte tardive « des inconsolables morts » :

> Pour trouver un bien fragile
> Qui nous vient d'être arraché,
> Par quel chemin difficile
> Hélas ! nous avons marché !
> Dans une route insensée
> Notre âme en vain s'est lassée,
> Sans se reposer jamais,
> Fermant l'œil à la lumière
> Qui nous montrait la carrière
> De la bienheureuse paix.
> De nos attentats injustes,
> Quel fruit nous est-il resté?
> Où sont les titres augustes,
> Dont notre orgueil s'est flatté?
> Sans amis et sans défense,
> Au trône de la vengeance
> Appelés en jugement,
> Faibles et tristes victimes,
> Nous y venons de nos crimes
> Accompagnés seulement.

Racine, lui, ne sera pas confondu, il
a été prévenu à temps ; il a fait le nécessaire et plus que le nécessaire. C'est fini
des sources bourbeuses et de ces ombre

qui nous laissent plus affamés que devant ;
il sait de quoi se nourrir :

> Le pain que je vous propose
> Sert aux anges d'aliment :
> Dieu lui-même le compose
> De la fleur de son froment.
> C'est ce pain si délectable
> Que ne sert point à sa table
> Le monde que vous suivez.
> Je l'offre à qui me veut suivre.
> Approchez. Voulez-vous vivre?
> Prenez, mangez, et vivez.

Le caractère, dit Novalis, c'est la destinée. Il était inscrit dans le caractère de
ce garçon trop sensible, de ce Racine
railleur, inquiet, jaloux, voluptueux, qu'il
n'échapperait à Dieu que pour lui revenir.
Le destin de cette espèce d'hommes est
de jouer sur les deux échiquiers : celui du
temps et celui de l'éternité, par des coups
à la fois audacieux et concordants. L'incestueuse Phèdre lui rouvre le cœur de la
vierge Sainte-Thècle, comme la concubine
du roi le détourne d'un chemin de perdi-

tion où il ne lui reste pas le moindre lau-
rier à cueillir et le pousse vers les charges
de cour où, sans plus exposer sa gloire
d'écrivain, ni le salut de son âme, il s'assure d'une grande fortune temporelle, en
même temps que d'une éternité bien-
heureuse. Mais il y a plus : Racine, vers
le temps de *Phèdre*, découvre qu'il est
vulnérable, comme les faibles femmes,
comme les prodigues enfants que Jésus
préfère aux Pharisiens et aux hommes
sûrs d'eux-mêmes. Jean Racine, dès sa
trente-huitième année, a peur des ténèbres
commençantes ; il cherche une main, la
frange d'un manteau. Dieu ne peut retrouver que ceux qui se sont perdus.

XIV

« Le caractère, c'est la destinée... »
Avons-nous eu raison de rappeler cette
parole à propos de Racine? Sa destinée
fut créée à l'image, à la ressemblance de
son caractère, mais d'un caractère pénétré de christianisme, et non tel que
l'avait conçu la nature. Jean Racine venu
au monde dans un temps et dans une
famille où Dieu n'eût pas occupé la première place, quel autre destin aurait-il
connu ! Sanglant peut-être ; ou au contraire plus brillant, plus heureux, selon
que ses passions furieuses ou que son goût
de l'avancement et de la cautèle l'eussent
emporté. Port-Royal, en tout cas, ne l'aurait pas entraîné dans sa disgrâce.

C'est la leçon qu'il faut retenir d'une

telle vie ; nous tissons notre destin, nous
le tirons de nous comme l'araignée sa
toile ; toutes nos amitiés, toutes nos
amours portent notre marque ; un très
petit nombre d'événements demeure im-
prévisible ; nous les appelons, nous les
suscitons presque tous ; pour ce qui ne
dépend pas de nous, notre manière d'y
réagir est l'expression de notre caractère
même ; et là encore, nous modelons la
destinée. Une seule force au monde trouble
quelquefois le jeu, arrête la fatalité, crée
une fatalité nouvelle ; une seule : le christianisme. C'est qu'il s'attaque en nous à
la nature. Il n'y a que la grâce pour surmonter quelquefois la nature. Et jusque
dans ses échecs, il existe une minute d'os-
cillation où l'on peut croire que la destinée de celui en qui se déroule cette lutte
contre Dieu va changer de face. Un homme
converti devrait nous donner le même étonnement qu'un fleuve qui retourne vers sa
source : *Jordanis conversus est retrorsum.*

Sans doute, chez Jean Racine, nous
sommes-nous divertis à débusquer les raisons humaines de ce grand changement
qui le livre à Dieu. Mais si la grâce, au
commencement de son travail, fait flèche
de tout bois, sa victoire ne s'atteste déci-
sive que dans la persévérance de l'homme
qu'elle a subjugué. (Et c'est pourquoi il
devrait être enjoint à tout converti de se
taire pendant plusieurs années, de ne rien
crier sur les toits avant que sa ferveur ait
subi l'épreuve du temps.) Dieu peut bien
se servir des plus minimes événements : un
échec au théâtre ou en amour ; la mort
d'un être aimé ; le chantage de quelque
complice... Il n'empêche, qu'un jour, Racine ne se sent plus menacé : la Voisin
est morte ; nul ne lui dénie la première
place dans la poésie dramatique ; le succès
d'*Esther* efface l'échec de *Phèdre*. Pourtant, il ne retourne pas au monde ; le fra-
gile échafaudage des causes secondes dis-
paraît, et l'inébranlable monument de sa

dévotion demeure ; des contingences l'ont
plus sûrement retourné vers Dieu que
n'eût fait un état de sensibilité mystique,
brûlant mais vite éteint. Il apparaît à
tous un autre homme que celui qu'il était.
L'inquiet, le jaloux de naguère offre à
ses enfants un visage serein et paisible ;
le voluptueux se passe de plaisir ; toutes
ses passions sont, sinon détruites, trans-
posées ; il aime Dieu comme il aimait ses
maîtresses. Il ne songe point, par sa dévotion, à faire sa cour, puisqu'elle va à
l'encontre de la doctrine officielle et qu'elle
lie son sort à celui d'une faction que le roi
exècre. Sur ce point précis, Racine vio-
lente surtout sa nature. Qu'il n'ait pas
une seule fois renié Nicole ni Arnauld,
quelle victoire de Dieu !

Rejeter, même de sa vie à venir, le christianisme, c'est donc perdre le bénéfice
de cette espérance : échapper un jour à
soi-même, guérir de soi-même. Un critique mécréant triomphait devant nous

de ce que les convertis se recrutent souvent parmi les êtres de mauvaise vie. Les
créatures sur qui pèsent de lourdes fata-
lités sont, en effet, les mêmes qui souhaitent
le plus ardemment de mourir et de renaître. Nul ne les délivrera de leur corps
de boue, hors Celui qui pour cela d'abord
est venu en ce monde. Comment échap-
peraient-elles à cette alternative : se glo-
rifier de leur misère, s'enhardir à une complaisance, à une satisfaction désespérée ;
se consoler de leur déchéance avec ce qui
les a déchus, ou au contraire se haïr jusqu'à mériter de devenir un autre ? Quelqu'un nous disait d'un poète revenu à
Dieu (revenu de loin) que tout en lui avait
changé, jusqu'au son de sa voix, jusqu'à
son rire. Ainsi Pascal bénissait tous les
jours de la vie son Rédempteur qui « d'un
homme plein de faiblesses, de misères, de
concupiscence, d'orgueil et d'ambition, a
fait un homme exempt de tous ces maux
par la force de sa grâce... »

Mais même lorsque nous croyons nous haïr, nous ne cessons de nous aimer. Racine est admirable en ce qu'il ne tourne jamais la tête vers ce qu'il a quitté. Nous avons souri, au passage, des règles austères qu'il imposait à un fils de vingt ans, comme si ne l'eussent pas embarrassé les souvenirs du jeune loup vorace qu'il avait été à cet âge. Mais c'est que l'image de ce louveteau lui fait horreur, qu'il ne lui garde aucune complaisance, et qu'il ne croit pas qu'il y ait un temps pour offenser Dieu et un autre pour le servir. Ici nous apparaît sa conviction sereine de posséder enfin le souverain bien : il veut épargner à ses enfants le malheur de le découvrir trop tard.

Telle est donc la leçon de Racine : il est donné à tous de se haïr quelquefois, de céder un instant au dégoût de soi-même ; le difficile est de persévérer dans cette haine et dans cette horreur. Aucun doute que ce fût plus aisé en un siècle qui

n'élevait pas, comme le nôtre, des autels
à la jeunesse, et qui ne la déifiait pas.
Nous nous souvenons bien du soupir de
La Fontaine : « Ai-je passé le temps
d'aimer? » Mais il n'y a point là trace de
ce désespoir, de cette nostalgie morne qui
asservit un grand nombre d'entre nous
à leur passé le plus trouble et qui crée
une horrible race de vieux adolescents
inconsolables.

Après plusieurs mois vécus dans l'in-
timité de Jean Racine, de ce cœur dévoré
de passions, nous l'admirons d'avoir su
prendre parti contre lui-même. Certes,
il a poussé, selon saint Paul, l'immortelle
plainte d'un chrétien « sur les contra-
riétés qu'il éprouve au dedans de lui-
même » :

> Mon Dieu, quelle guerre cruelle !
> Je trouve deux hommes en moi :
> L'un veut que plein d'amour pour toi
> Mon cœur te soit toujours fidèle.
> L'autre à tes volontés rebelle
> Me révolte contre ta loi.

L'un tout esprit, et tout céleste,
Vent qu'au ciel sans cesse attaché,
Et des biens éternels touché,
Je compte pour rien tout le reste ;
Et l'autre par son poids funeste
Me tient vers la terre penché.

Hélas ! en guerre avec moi-même,
Où pourrai-je trouver la paix !
Je veux, et n'accomplis jamais.
Je veux, mais, ô misère extrême !
Je ne fais pas le bien que j'aime,
Et je fais le mal que je hais.

Le roi, la première fois qu'il entendit
chanter ces paroles, se tourna vers Mme de
Maintenon en lui disant : « Madame, voilà
deux hommes que je connais bien... »

Cette certitude que le mal est le mal
et qu'il est haïssable, cette évidence, aujourd'hui beaucoup l'ont perdue ; ils ne
détestent pas le mal, même en cessant
de le commettre ; d'où ces fausses con-
versions, ces rechutes qui suscitent la
risée du monde. L'excès de souffrance
ramène une âme à Dieu, sans qu'elle cesse

de découvrir du charme à ce qu'elle a
quitté. Maints docteurs de tout âge élèvent
la voix pour la supplier de ne pas se
mutiler et de ne se refuser à rien. Ils légi-
timent son délire et donnent raison à sa
folie. Le dur Nietzsche aurait eu horreur
de ces faciles enfants qu'il a fournis de
raisons sublimes pour s'assouvir. Il n'empêche que leur appel aujourd'hui domine
tous les autres, retentit dans les cœurs
malades, à mi-chemin de Dieu. Ainsi se
multiplient les échecs de la grâce, les
retours au vomissement. Et c'est pourquoi beaucoup, témoins de ces tristes rechutes et qui voient encore dans la religion le dernier espoir de guérir, de renaître à la vraie vie, hésitent, réservent
cette suprême carte, ne peuvent se résoudre à la jouer : « Si peu qu'il représente
d'espérance, dit Montherlant, ne gâchons
pas Dieu. » L'atteindre, croit-il, serait le
perdre à jamais.

Simplicité de Jean Racine. Il s'en tient à

Celui qu'il a trouvé. Il embrasse la croix.
Nous, il faudrait nous y faire attacher;
encore serait-ce en vain, car ce moi, à
peine lié à l'Arbre, ne serait déjà plus
nous-même; détaché de nous, il ne vivrait
plus que dans notre mémoire. Nous avons
perdu le secret de Jean Racine; le secret
d'avancer continûment dans la vie spirituelle, d'y progresser, de n'en point
laisser derrière nous des parcelles vivantes, attachées encore à la boue. Simplicité de Jean Racine : le sang rédempteur versé pour lui en particulier est la
garantie de son existence personnelle et
de son unité. Il se limite, il s'émonde selon
le modèle divin. Aucune voix ne lui crie
que ce qu'il détruit de lui-même, c'est justement l'essentiel; que tout en nous,
même le pire, doit servir à créer l'être
irremplaçable dont nous recélons les éléments. Racine se délecte à se simplifier :
sa dévotion de petit enfant faisait sourire
Mme de Maintenon. Rien qui lui fût plus

étranger que cette complaisance pour
notre trouble.

Nous ne souffrons pas, nous jouissons
d'être des âmes troublées ; mais il y a là
beaucoup plus qu'une jouissance : le respect d'une complexe richesse à utiliser,
soit pour vivre avec intensité, soit pour
créer des œuvres vivantes. Qu'elle a de
puissance sur nous, cette voix qui déplore
nos renoncements, ou qui les tourne en
dérision ! On a beaucoup soutenu que
Pascal, aujourd'hui, ne serait plus chrétien, et que les fondements de sa foi ne ré-
sisteraient pas à telles conclusions de la critique historique ; mais plusieurs fragments
des *Pensées* balayent, d'avance, ces sortes
d'objections. Racine, au contraire, nous
pouvons l'imaginer de nos jours, séduit par

> Cette inimitable saveur
> Que tu ne trouves qu'à toi-même.

Complaisance qui n'offre rien de vil. Nous
concentrons notre pensée sur notre cœur

vivant ; et l'ivresse de nous connaître,
de nous regarder vivre, l'emporte sur le
souci de nous sauver. La Mère Sainte-
Thècle adjure son jeune neveu de « penser
à lui-même » sans se douter que cette
formule peut avoir un autre sens que
« penser à son salut éternel ». Et Racine
converti en usera de même avec son fils.
Penser à soi, du temps de Racine, c'était
toujours en fonction de ses fins dernières.
Tout nous incline, aujourd'hui, à un
reploiement désintéressé ; nous cédons à
une passion de lucidité qu'embarrasse (fus-
sions-nous croyants) ce qui risquerait de
changer, d'altérer notre monde intérieur :
se sauver, mais se sauver tout entiers,
en restant eux-mêmes, voilà sans doute la
prétention de ceux d'entre nous que Dieu
sollicite. Prétention démesurée : faire passer du plan de la nature au plan de la
grâce leur personnalité originale, unique,
sans retranchement ni diminution, tous
les méandres de la pensée gidienne, par

exemple, mènent à cette exigence. Elle
est connue des sauveteurs d'âmes les plus
habiles, les plus saints, et ils y trouvent
leur pierre d'achoppement.

« Restez libre, » disait un religieux à un
poète près de rentrer en grâce. « J'attends
tout de cette liberté, reprenait Jacques
Maritain... Nul ordre postiche n'a droit
sur vous. Qui vous demande de changer
de registre? C'est de l'Église que vous
êtes... non d'un monde quel qu'il soit,
voire pieux. »

Devenir un autre, rester le même, c'est
une folie sans doute que de prétendre
résoudre cette antinomie. Mais l'exemple
de Racine nous aide à comprendre le péril
de ne pas la surmonter. Il se convertit
à trente-huit ans, renonce au théâtre,
change de registre, adhère à un monde
dévot. Du seul point de vue humain, cet
achèvement d'une vie passionnée a de la
grandeur; ce cinquième acte ne déçoit
pas les libertins eux-mêmes. Mais Racine

a des enfants ; et en particulier un fils
auquel il assignera, comme point de dé-
part, ce qui fut pour lui le point d'arrivée.
Jean-Baptiste Racine, qui a vingt ans à
la mort de son père, devra commencer par
où Jean Racine a fini. C'était un garçon
plaisant et de bonne mine, chez qui son
père blâmait une certaine fantaisie, un
penchant à satisfaire toujours sa propre
volonté « au hasard de tout ce qu'il en
pouvait arriver ». Racine louait chez ce
jeune orgueilleux « une grande appréhen-
sion d'être à charge à personne » ; et Despréaux, qui aimait recevoir ses lettres
d'adolescent érudit, le jugeait digne de
sa race. Après la mort de Racine, M. de
Torcy l'envoya à Rome avec l'ambassadeur de France. Mais au lieu de pour-
suivre sa carrière, il revint à Paris, vendit
sa charge de gentilhomme ordinaire, ne se
maria pas et, nous dit son frère cadet
Louis, « il s'enferma dans son cabinet avec
ses livres, et y a vécu jusqu'à soixante-

neuf ans, sans presque aucune liaison
qu'avec un ami très capable à la vérité de le dédommager du reste des
hommes. »

Étrange retraite en pleine jeunesse : renoncement, effacement d'un garçon qui
avait le sang vif ; nous le pressentons à
travers les lettres de son père, et celles
que nous avons de lui nous en assurent.
Avec quelle fureur il injurie Valincour,
coupable d'avoir rapporté à l'abbé d'Olivet
que Racine avait faibli un instant devant
la souffrance ! « ...Valincour, qui après
avoir rampé toute sa vie auprès de lui,
comme auprès d'un homme à qui il devait
tout, s'est avisé de faire le seigneur après
sa mort, et de se donner comme un homme
à qui mon père faisait sa cour, et pour
confident de toutes ces impertinences va
choisir un abbé d'Olivet... pour lequel je
me ferai toujours honneur de déclarer
mon profond mépris ». Il en parle plus
loin comme du plus grand misérable et

du plus fat personnage qu'il y ait au
monde. Ici éclate la haine du dévot retranché de tout, contre le bel esprit amusé
de tout, et dont la vertu même était
païenne (Valincour se consolait de ce
que ses livres avaient été brûlés, en
disant qu'ils ne lui auraient servi de
rien, s'il n'avait appris d'eux à pouvoir
s'en passer.)

Mais les plus beaux endroits de ses
lettres sont ceux où il morigène son pauvre
frère Louis et met en pièces, avec une
implacabilité toute racinienne, le fade
poème sur la religion. Il lui rappelle dure-
ment que leur père avait déjà renoncé à
écrire à l'âge où il s'y résout ; il soutient
que ce poème ferait la fortune de tout
autre nom que celui qu'il porte « dont la
fortune est faite, qui ne peut guère croître
et qui peut plutôt diminuer... Parlons à
cœur ouvert, comme des frères doivent
parler. Croyez-vous surpasser ou du moins
égaler votre père? Vous avez raison de

faire ce que vous faites ; mais si vous vous
défiez d'y pouvoir réussir, j'ai raison de
vous donner les conseils que je vous
donne ; et quand je vous les donne, je ne
le fais uniquement que pour vous épargner toutes les amertumes attachées au
métier que vous embrassez. Et c'est pour
cela que je vous ai mandé qu'à votre
place je me contenterais de cultiver pour
moi et pour mes amis les talents que le
ciel m'aurait donnés, et d'en faire mes
amusements innocents... Vous ne faites
pas peut-être réflexion que vous avez
donné dans un écueil qu'il faut éviter le
plus qu'on peut : c'est de parler de soi...
Vous n'entretenez votre lecteur que de
vous, et vous ne paraissez en un mot
occupé que de vous, de vos vers, et de ce
que les siècles à venir en diront, et vous
finissez par leur souhaiter quasi la vie
éternelle. Permettez-moi de vous dire que
vous vous donnez la plus brillante enfance
dont on ait jamais entendu parler. A peine

êtes-vous sorti du berceau, que vous savez
déjà tout sur le bout du doigt ; vous pos-
sédez poètes, orateurs, philosophes, jusqu'aux écrits de Newton, quoiqu'on dise
pourtant qu'il n'y ait que trois hommes
en Europe capables de l'entendre. Et il
ne se trouve qu'une chose que vous igno-
riez, c'est votre catéchisme ; car il vous
aurait appris qu'il y a un livre sacré qu'on
appelle l'Écriture sainte, qui est le fondement de toute notre religion ; ce que vous
n'apprenez cependant que par hasard, et
après avoir tout lu, tout feuilleté et par-
couru, en un mot quand vous ne savez
plus où donner de la tête. »

Il y a là un ton de puissance, un mor-
dant qui trahit la race de cet homme, fait
pour se battre, pour être le plus fort, pour
dominer comme avait fait son illustre
père. Mais il a été vaincu par les objur-
gations de ce père pénitent : rien ne compte
que le salut ; c'est une partie où l'on ne
doit rien hasarder. Il fait litière des dons

qu'il a reçus et laisse Louis se marier,
écrire de mauvais vers, s'adonner à la
boisson : ce pauvre être était enfant à la
mort de leur père ; il en a moins subi
l'influence et s'efforce à vivre un peu,
tandis que Jean-Baptiste s'enferme dans
son cabinet ; il y attend la mort, durant
plus de quarante ans, au milieu de ses
livres. Et nous ne saurons jamais les propos qu'il tenait à cet unique ami dont il
souffrait la compagnie. Il ne produit rien,
il ne fait pas d'enfants. Il n'a de commerce
avec personne ; il est sûr d'être sauvé.
Mais c'est ici qu'il faudrait examiner ce
qu'a de proprement janséniste une si totale
négation de soi-même. Le grand Racine
y eût-il applaudi? Sans doute, puisque
dans les dernières années de sa vie il ne
cessait de renier le théâtre et qu'enfin il
jeta au feu l'exemplaire de ses ouvrages
où il avait eu la faiblesse de marquer des
corrections.

  Il n'empêche que si, comme le dit Bos-

suet, « rien n'est plus opposé que de vivre
selon la nature et de vivre selon la grâce »,
ce fut pourtant lorsqu'il vivait sous l'empire de la grâce que Racine écrivit *Esther*,
Athalie, les *Cantiques spirituels*, et qu'il
joua des coudes à la Cour. Le malheur
d'avoir déplu à Louis XIV lui coûta plus
de larmes que la honte de ses souillures, et
l'amitié de Dieu ne le consola pas de l'inimitié royale. Au vrai, en dépit de sa sin-
cère pénitence, Racine meurt en pleine
passion, il meurt de sa passion. Seuls ses
enfants, sauf Louis, mettent en pratique
cet art du renoncement auquel lui-même
ne sut jamais parvenir. C'est en eux qu'il
consomme enfin son sacrifice et qu'il s'élève
jusqu'à vouloir n'être plus rien. C'est par
la bouche du mystérieux Jean-Baptiste
qu'il put prononcer l'admirable prière à
Jésus-Christ, que le saint M. Hamon réci-
tait chaque matin, au réveil, et qui, peut-
être, détient le mot de cette énigme : « Je
vivrai avec toi, parce que tout autre

entretien est rempli de dangers. Je vivrai
de toi, parce que tout autre aliment est
un poison. Je vivrai pour toi, parce que
celui qui vit pour soi, et qui ne vit pas
pour toi, ne vit pas, mais il est mort. »

Malagar, août. — Paris, novembre 1927.

PARIS. — TYPOGRAPHIE PLON, 8, RUE GARANCIÈRE. — 1928. 35752.

OUVRAGES PARUS DANS CETTE COLLECTION
— *Février 1928* —

1. — **La prodigieuse vie d'Honoré de Balzac,** par René Benjamin.

2. — **La vie aventureuse de Jean-Arthur Rimbaud,** par Jean-Marie Carré.

3. — **La vie paresseuse de Rivarol,** par Louis Latzarus.

4. — **Le roman de François Villon,** par Francis Carco.

5. — **La vie raisonnable de Descartes,** par Louis Dimier.

6. — **La vie douloureuse de Charles Baudelaire,** par François Porché.

7. — **La véridique aventure de Christophe Colomb,** par Marius André.

8. — **Mon ami Robespierre,** par Henri Béraud.

9. — **La très curieuse vie de Law, aventurier honnête homme,** par Georges Oudard.

10. — **La vie de Charles-Joseph de Ligne, prince de l'Europe française,** par L. Dumont-Wilden.

11. — **La vie gaillarde et sage de Montaigne,** par André Lamandé.

12. — **La destinée du comte Alfred de Vigny,** par Paul Brach.

13. — **La vie chrétienne d'Eugénie de Guérin,** par Victor Giraud.

14. — **La vie orageuse de Mirabeau,** par Henry de Jouvenel.